黄河國家治理文獻集成（民國卷）第七册
《黄河國家治理文獻集成》編委會　編

總第七十一册

調查河套報告書

（下册）

督辦運河工程總局
編輯處　編
王智慧　編

內蒙古出版集團
內蒙古人民出版社

圖書在版編目（CIP）數據

調查河套報告書. 下册 / 督辦運河工程總局編輯處，王智慧編. -- 呼和浩特 : 内蒙古人民出版社，2025. 8.
（黄河國家治理文獻集成）. -- ISBN 978-7-204-18444-6

Ⅰ. TV-092

中國國家版本館 CIP 數據核字第 2025UW4652 號

調查河套報告書（下册）

督辦運河工程總局編輯處　編

編　　者　王智慧
策劃編輯　王　瑶
責任編輯　徐　飛
裝幀設計　劉那日蘇　吉　雅　安立新
責任監印　包鐵柱
出版發行　内蒙古出版集團　内蒙古人民出版社
地　　址　呼和浩特市新城區中山東路 8 號波士名人國際 B 座 5 層
網　　址　http://www.impph.cn
印　　刷　内蒙古愛信達教育印務有限責任公司
開　　本　880mm × 1230mm　1/16
印　　張　20.5
字　　數　230 千
版　　次　2025 年 8 月第 1 版
印　　次　2025 年 8 月第 1 次印刷
印　　數　1—1000 册
書　　號　ISBN 978-7-204-18444-6
定　　價　175.00 元

編纂委員會

引言

千古河流成沃野，幾年沙勢自風湍。

得益于黄河冲積所帶來的疏松土質和有機物，中華先民利用石製工具開始了農業生産，并逐步發展出旱地粟作農業，『能够最大程度保障食物供給的穩定性，奠定了中華文明起源和形成的堅實基礎』〔一〕。而利用河水灌溉，提高區域可預測農業産量，『在産業史上起着最有决定性的作用』〔二〕。隨後，技術進步、經濟發展、人口增加，讓先民的文化生活大爲豐富。嚴文明先生評價道：『這是一場影響深遠的革命。』〔三〕在這場革命中，平衡水、沙、産、人四者之間的關係，始終是黄河治理的核心問題。四者關係一旦失衡，就容易引發諸多灾患。

歷史上，黄河下游因人口稠密、經濟發達，一直是學術界關注的重點。但自河源至今内蒙古托克托縣河口鎮的黄河上、中游區域，雖遠離王畿，人口稀疏，却也一直備受關注，人們逐步認識到黄河全流域治理是國家的重要任務。《漢書》載：『堤防之作，近起戰國，雍防百川，各以自利。』〔四〕没有全流域的協同治理，僅靠各地分段築堤，則黄河河患無法解决。秦建立了中國歷史上第一個中央集權大一統王朝，秦始皇東巡碣石，刻石銘記『决通川防，夷去險阻』〔五〕，開啓中央政府調動各要素治黃之先河，這『在中國，實質上是國家的一種職能』〔六〕。同時，國家通過對黃河的有效治理，爲沿黃流域人民群衆乃至其他地區人民群衆提供了重要的公共物品和産業支撑，成爲人民群衆眼中中央政府的功過評價指標之一。因此，治黃在增强沿黃各族群國家、政治、文化認同的基礎上，强化了中國大一統國家的合法性，成爲歷代國家治理能力的一個重要測度。

一、黃河治理維護了國家的社會穩定

從秦并六國到漢朝建立大一統國家，中國統一的多民族國家形成并得到初步發展。當時中央政府對所轄疆域有『北邊郡』和『内郡』之稱。内蒙古額濟納旗出土的居延漢簡有載，『豤（墾）田以鐵器爲本北邊郡毋鐵官印器内郡令郡以時博賣予細民毋令豪富吏民得多取販賣細民』，可以看出北邊郡是與内郡相對應的行政管轄區域。《史記》卷二十八『封禪書第六』載：『上乃遂去，並（并）海上，北至碣石，巡自遼西，歷北邊至九原。』〔七〕。《史記》卷三十『平準書第八』載：『天子北至朔方，東到太山，巡海上，並（并）北邊以歸。』〔八〕司馬遷多次提及北邊，足見統治者對北邊治理的重視。

漢武帝時，齊人延年提出從今内蒙古引黃河水經今北京一帶，向東注入渤海，以衛北部邊疆。『是時方事匈奴，興功利，言便宜者甚衆。齊人延年上書言：「河出昆侖，經中國，注勃海，是其地勢西北高而東南下也。可案圖書，觀地形，令水工準高下，開大河上領，出之胡中，東注之海。如此，關東長無水災（灾），北邊不憂匈奴，可以省隄（堤）防備塞，士卒轉輸，胡寇侵盜（盗），覆軍殺將，暴骨原野之患。天下常備匈奴而不憂百越者，以其水絶壤斷也。此功壹（一）成，萬世大利。」』[九]《史記》卷二十四『樂書第二』載：『天馬來兮從西極，經萬里兮歸有德。承靈威兮降外國，涉流沙兮四夷服。』[十] 如今，包頭地區出土了『四夷盡服』瓦當，出土文物與傳世文獻的呼應，成爲黄河治理維護祖國北部邊疆穩定的見證。

《史記》卷三十『平準書第八』載：『嚴助、朱買臣等招來東甌，事兩越，江淮之閒（間）蕭然煩費矣。唐蒙、司馬相如開路西南夷，鑿山通道千餘里，以廣巴蜀，巴蜀之民罷焉。彭吳（吴）賈滅朝鮮，置滄海之郡，則燕齊之閒（間）靡然發動。及王恢設謀馬邑，匈奴絶和親，侵擾北邊，兵連而不解，天下苦其勞，而干戈日滋。』[十一] 清代《汾陽縣志》卷十三『藝文』收録曹學閔《開修黄蘆嶺車路紀德政碑記》，上載：『永寧州，界連西陲，北達邊外歸綏諸路，商賈遠貿粟麥，泛皮船隨黄流南下，聚于州西磧口，一府之民仰利賴焉。而東至太原，南抵平陽，州縣凡二十餘，亦視汾爲橐籥，蓋所繫非特一方生計矣。』[十二] 民國時期，東北淪陷後，開發西北刻不容緩，而『黄河中游之水利，自應加以擴充及整理，藉（借）收桑榆之效，以挽狂瀾於（于）萬一』[十三]。

因黄河流域自然條件優越，歷朝歷代都十分重視對此地的開發，通過强有力的國家干預方式推動各類産業的發展，爲中國北部疆域的形成和社會穩定奠定了基礎。

二、民族交往、物資交流、技術轉移促成黄河治理共同體

《史記》卷十五『六國年表第三』載：秦始皇三十三年（前214），『築長城河上，蒙恬將三十萬』〔十四〕。這數十萬人中，擁有一技之長的人員不在少數。由此，邊地人口不斷增多，而豐富的物産則促進了商品交流與統一市場的形成。西漢《鹽鐵論·力耕第二》記録了『异物内流』的情形：『是以贏（騾）驢馲駞（駝），銜尾入塞，驒騱騵馬，盡爲我畜，鼲鼦狐貉，采旃文罽，充於（于）内府，而璧玉珊瑚瑠（琉）璃，咸爲國之寶。』〔十五〕此後，黄河北岸的『贏（騾）驢馲駞（駝）』『驒騱騵馬』『鼲鼦狐貉』『采旃文罽』與西南織錦、中原麻織、農作物等物資相互交流，逐步形成統一的國内大市場，加强了邊疆與其他地區的經濟聯繫，促進了邊疆特色産業的發展。

隨着民族交往交流交融的增强，清代以降，黄河流域内蒙古段輸入到内地的也不僅僅是『异寶』了。《綏遠通志稿·水路》載：『自乾隆以還。口外墾殖日廣。民殷物阜。出境之油、糧、鹽、鹼（碱）、甘草各貨。入境之日用雜貨。山西與歸綏往來之商運。凡經河路者皆以托屬河口爲唯一之碼頭。』〔十六〕從清乾隆年間到民國時期，由内蒙古經黄河運到山西的貨物有糧、油、鹽、碱、藥材、皮毛等，其中以糧油爲最大宗。糧食品種主要有糜黍、穀子、高粱、豆類及玉米、大小麥

等，油料主要是胡麻。内蒙古供貨支綫有從阿拉善盟阿拉善左旗吉蘭泰鹽池到山西吕梁市磧口鎮的運鹽駝路，五原縣、臨河區一帶各大幹渠的運糧水道，杭錦旗、達拉特旗的甘草馱運綫，鄂托克旗的運碱駝路。内蒙古段各條支綫以供貨爲主，山西段若干支綫以運銷爲主。

《臨縣志》載：『清朝乾隆至民國年間，陝、甘、綏、蒙等地的物資，通過此航綫運達磧口，再用牲口馱運到離石、吴城，轉運至東路（汾、平、介、孝等縣）。據民國20年（1931）統計，每年從綏遠磴口航至磧口的貨船不下4000餘艘』，『是陝、甘、綏、寧與晋西北物資集散之重鎮』。〔十七〕可見，内蒙古在甘肅、寧夏與陝西、山西等沿黄上下游物資交易中起到了重要的聯結作用；同時也吸引了山西、陝北、河北、山東、甘肅等地的農民遷移至此，并將開渠打壩、引水澆地等農業生産技術、手工技術和商業貿易經營方式帶到這裏。他們在此扎根，除了從事農業生産外，還挖甘草、下窑背炭、在黄河上拉船、在沙漠中拉駱駝、打短工放冬羊、開碾磨油坊，等等。不同地域、不同民族的人們合力修築河渠、引水興業，逐漸形成休戚與共的共同體。其間積纍的産品交易、商業管理、社會治理等方面的經驗，在今天依然有借鑒意義。

清代『首重治河，探河源以窮水患』〔十八〕，但更深層次的考量是『宣揚大一統及增强國家認同』〔十九〕。黄河流域人口基數大、分布廣，而全流域治理理念將不同地區、不同民族的人們凝聚成命運共同體，而『大一統』理念正是這一治理實踐的核心主題。

三、黄河流域拓展了中國的發展空間

早期統治者因巡幸及邊防建設所需，統籌管理沿黄河運與秦直道等沿黄馬道，維持着中央政府對北邊的有效治理。河套平原引黄渠道的建設爲秦漢王朝屯田事業提供了基本的水利保證，并將這些區域變成防禦北部邊患的大後方與根據地。于是，沿黄馬道、沿黄河運與萬里茶道、草原絲路等陸路運輸聯通起來，促進了中華文明與其他文明的交流互鑒，拓展了新的發展空間。

新中國成立之後，沿黄各族兒女在中國共産黨的領導下團結合作、艱苦奮鬥，實現了大河安瀾。黄河流域建立起行之有效的防洪抗汛機制，支撑着沿岸的産業發展，改善了周邊生態環境。當代治黄史證明，正是由于中國共産黨的正確領導以及集中力量辦大事的制度優勢，纔從根本上減輕了河患的威脅。進入新時代，黄河流域在築牢安瀾根基的同時，以蓬勃活力拓展着中國的發展空間。沿黄九省區在協同發展中不斷釋放潛力，讓黄河流域成爲國家區域協調發展戰略中不可或缺的重要一極，爲中國的發展源源不斷地注入新動能。

綜上所述，黄河流域的治理不是單純的河道治理、生態環境治理或社會治理，而是一種關涉水、沙、産、人四者關係的系統性、協同性治理，是推動國家可持續發展的動力，也是厘清國家治理與邊疆治理兩者動態交互實際效果的絶佳視角。而黄河工程等『中國本土理論資源、學術積纍』〔二十〕，有助于研究國家治理的演進歷程。進入新時代，黃河治理與國家治理的關係研究不斷開闢新視角、持續涌現新成果，其中鑄牢中華民族共同體意識、邊疆治理與黃河流域生態保護和高質量發展成爲非常重要的研究視角。因此，基于這一角度搜集整理黃河國家治理文獻，意義重大。《黃河國家治理文獻集成》，應運而生。

本叢書系統梳理了黃河治理的歷史脉絡與經驗，既爲新時代黃河流域生態保護和高質量發展提供了歷史鏡鑒，更以文獻爲載體，傳承了治理智慧、凝聚了民族力量，是服務國家發展戰略、鑄牢中華民族共同體意識的重要學術實踐。

《黃河國家治理文獻集成》編委會

二〇二五年一月

〔一〕韓建業：《中華文明的起源和形成》，載《中華民族共同體研究》2022 年第 4 期，第 80–91+172 頁。

〔二〕中共中央馬克思恩格斯列寧斯大林著作編譯局：《馬克思恩格斯選集》第二卷，人民出版社，2014 年，第 240 頁。

〔三〕嚴文明：《黃河流域文明的發祥與發展》，載《華夏考古》1997 年第 1 期，第 49–54+113 頁。

〔四〕（漢）班固：《漢書》卷二十九『溝洫志第九』，中華書局，1964年，第1692頁。

〔五〕（漢）司馬遷：《史記》卷六『秦始皇本紀第六』，中華書局，1963年，第252頁。

〔六〕冀朝鼎：《中國歷史上的基本經濟區與水利事業的發展》，朱詩鰲譯，中國社會科學出版社，1981年，第7頁。

〔七〕（漢）司馬遷：《史記》卷二十八『封禪書第六』，中華書局，1963年，第1398-1399頁。

〔八〕（漢）司馬遷：《史記》卷三十『平準書第八』，中華書局，1963年，第1441頁。

〔九〕（漢）班固：《漢書》卷二十九『溝洫志第九』，中華書局，1964年，第1686頁。

〔十〕（漢）司馬遷：《史記》卷二十四『樂書第二』，中華書局，1963年，第1178頁。

〔十一〕（漢）司馬遷：《史記》卷三十『平準書第八』，中華書局，1963年，第1420-1421頁。

〔十二〕（清）方家駒修，（清）王文員纂：《汾陽縣志》卷十三『藝文』，清光緒十年刻本，第57-58頁。

〔十三〕王華棠、劉錫彤、吳樹德：《黄河中游調查報告》，華北水利委員會編印，1934年，第1頁。

〔十四〕（漢）司馬遷：《史記》卷十五『六國年表第三』，中華書局，1963年，第758頁。

〔十五〕王利器：《鹽鐵論校注》，中華書局，1992年，第28頁。

〔十六〕綏遠通志館：《綏遠通志稿》第十册，内蒙古人民出版社，2007年，第176頁。

〔十七〕臨縣志編纂委員會：《臨縣志》，海潮出版社，1994年，第273、321頁。

〔十八〕趙爾巽等：《清史稿》卷一二六『河渠一』，中華書局，1977年，第3715頁。

〔十九〕劉惠：《乾隆朝重構黄河河源的實踐與國家認同》，載《清華大學學報》（哲學社會科學版）2018年2期，第147-154+195頁。

〔二十〕許耀桐：《當代中國『治理』概念的演進探析》，載《國家現代化建設研究》2023年3期，第100-111頁。

出版前言

黄河，中華民族的母親河，她不僅孕育了中華文明，更見證了中華民族數千年的發展歷程。習近平總書記深刻指出：『從某種意義上講，中華民族治理黄河的歷史也是一部治國史。』這一重要論述，爲新時代黄河文化的保護傳承以及流域治理提供了根本遵循，也深刻揭示了黄河治理在國家發展和民族復興進程中的核心地位。在學習貫徹習近平新時代中國特色社會主義思想，積極響應國家黄河流域生態保護和高質量發展重大戰略，大力推進北疆文化建設的背景下，《黄河國家治理文獻集成》的編纂出版，具有重要的歷史意義、學術價值與現實指導意義。

黄河治理，自古以來就是國家的頭等大事。從遠古時期大禹治水，到當代運用科學技術進行系統治理，中華民族在數千年的時間裏，積纍了豐富的治河經驗，留下了浩如烟海的文獻遺産。《黄河國家治理文獻集成》收録了元代至民國時期古籍、朱批奏摺、期刊圖片等多模態文獻資源。這些文獻内容豐富、維度多元，既包含記載河工技術、治理方略等的專書，又有漢文朱批奏摺、工程檔案以及不同區域的調查研究報告等。民國時期的文獻則標志着現代水利科學開始融入黄河治理，展現了我國水利事業在時代變革中的創新與發展。近代照片的收録則以更加直觀的方式將黃河治理、黃河沿岸的風貌呈現給讀者。

該文獻的出版，不僅是對瀕危黃河文化遺産的及時搶救與保護，更是對我國水利史、國家治理史、邊疆治理研究學術鏈條的重要補充，具有較高的文獻價值和學術意義。尤爲重要的是，這一集成工作，深度契合鑄牢中華民族共同體意識這一全黨全國各族人民的共同任務。各民族在治理黃河的歷史進程中，緊密協作、共同探索，這些珍貴文獻便是各民族交往交流交融和中華文明認同的生動見證。對這些文獻進行整理出版，能够讓各族人民更加深刻地認識到，在歷史長河中，各民族共同爲黃河治理貢獻了力量，共同守護了家園，從而進一步增强對中華民族共同體的認同感與歸屬感，夯實鑄牢中華民族共同體意識的歷史根基。

《黃河國家治理文獻集成》以『國家治理』爲核心綫索，構建起一個全面、系統、多維的文獻體系：在時間跨度上，聚焦從元代至民國這一傳統治河向現代水利轉型的歷史時期，爲深入研究我國水利事業的發展脉絡提供了清晰的時間坐標；在内容分類上，細緻劃分爲技術專著、工程檔案、區域研究、朱批奏摺、科學報告、圖片等類別，涵蓋黃河治理的各個方面，從不同角度展現了我國在黃河治理上的探索與實踐；在版本選擇上，秉持嚴謹、科學的態度，確保文獻内容的準確性與代表性，爲學術研究奠定堅實基礎。

在編纂過程中，叢書特別注重『全流域治理』的理念，不僅收録了有關下游防洪治河的重要文獻，還涵蓋了中游地區水土保持以及上游地區灌溉開發等方面的珍貴記載。這種對黄河全流域治理的全方位關注，與當前『共同抓好大保護，協同推進大治理』的要求高度契合，充分體現了叢書在傳承歷史文化遺産的同時，緊密服務于當代國家發展戰略的時代價值。

在出版過程中，嚴格保持原書的版式與行款，最大程度地還原文獻原貌。對于部分出現黴變、殘缺的頁面，運用先進的數字化修復技術進行精心處理，在保留原始批注與印章痕迹的基礎上，兼顧了文物的真實性與文獻的可讀性。

此外，爲了更好地服務讀者，方便學術研究，本叢書新增了目録、提要等内容，這些新增部分由編委會精心撰寫。新增目録一般編製二級，個别圖書編製三級；原書有目録而内文無對應標題的，根據原書目録照録；原書目録爲關鍵詞或者其他情况的不編製目録；原書目録與内文不一致的，以原書内文爲準；原書無目録的，按卷端、版心或其他部分輯録；一册書中收録多種圖書的，以書名爲一級標題，編製二或三級。在文字使用上，統一使用現代漢語規範繁體字，對于原版文獻中的异體字、避諱字也使用現代規範繁體字，無對應規範繁體字的保留原字。

《黄河國家治理文獻集成》的出版，是對黄河文化遺産的一次系統性、搶救性保護，具有重大而深遠的現實意義：從學術價值層面來看，叢書成功構建起一座連接傳統與現代治黄文獻的橋梁，爲黄河流域生態保護、水利工程史、國家治理史、邊疆治理、中華民族共同體學等多個領域的學術研究提供了豐富、翔實的基礎文獻，有力推動了相關學科的發展與創新；從文化價值角度而言，生動展現了北疆文化與黄河文化在歷史長河中的交融共生，爲内蒙古『北疆文化』品牌建設提供了堅實的文獻支撑，進一步豐富了中華文化的内涵與外延；從實踐價值方面考量，書中所蘊含的治河理念爲我們在新時代背景下實現人與自然和諧共生、推動黄河流域可持續發展提供了寶貴的歷史經驗與智慧啓示。

在此，我們要衷心感謝各藏書機構的大力支持，正是他們提供了珍貴底本資源，纔使得本叢書的編纂出版成爲可能。同時，我們也要向文化遺産智能應用服務中華民族共同體建設『英才興蒙』團隊致以崇高的敬意，他們歷經五年的辛勤耕耘，以嚴謹的治學態度和專業的學術素養，對文獻進行了系統的整理和輯録，爲叢書的内容質量提供了堅實保障。此外，我們還要特别感謝内蒙古自治區黨委宣傳部、内蒙古出版集團將本叢書納入『北疆文庫』重點項目，并在出版過程中給予全方位支持與幫助。

我們衷心期待，這套凝聚着無數心血與智慧的《黄河國家治理文獻集成》，能够在新時代的『黄河大合唱』中奏響歷史的强音，爲黄河流域生態保護和高質量發展注入强大的歷史動力，讓黄河文化在保護中傳承，在傳承中創新，在創新中不斷發展，綻放出更加絢爛的光彩。同時，希望這套叢書能够成爲促進各民族文化交流、鑄牢中華民族共同體意識的重要載體，助力各民族更加緊密地團結在一起，共同爲實現中華民族偉大復興的中國夢而努力奮鬥，讓中華民族共同體意識在黄河文化的滋養下，扎根于每一位中華兒女的心中，成爲推動中華民族不斷前進的强大精神力量。

提要

《調查河套報告書》，督辦運河工程總局編輯處編纂，民國十二年（1923）由京華印書局出版。該報告書由馮際隆率團實地考察後整理而成，系統記録了二十世紀初河套地區水利與墾務等重要資料。

馮際隆爲民國時期水利專家，生卒年及籍貫未詳，擅長測繪工程技術。民國八年（1919）受督辦運河工程總局委派，率團開展河套水利調查。其仕履與水利事業緊密相關，主持過多次實地勘測，尤其在河套地區的水利規劃中發揮了關鍵作用。他主張科學治水，注重結合實地勘查與工程技術，强調水利開發應服務于民生與農業發展。

報告書以民國八年調查爲基礎，内容涵蓋河套全境，分爲寧夏、後套、前套、三呼灣四個區域，重點記録河道、渠工、墾務等核心問題。調查團歷時五個月，行程六千八百四十二里，采用測繪儀器與實地走訪結合的方法，詳細記録了各區域的沿革、氣候、物産及風俗，特別關注灌溉系統與鹽碱地治理。書中附有大量圖表、圖片及公文檔案，如潘復呈報大總統的勘測報告、各部門公文往來等，兼具科學性與史料價值。

目録

旅行日記錄

五月十一日陰在北京上午十一時氣温七十五度氣壓三〇·四四吋自西直門附京綏車西行地勢愈前愈高至居庸關一帶山脈綿亘長城蜿蜒起伏隨山勢而上下望之恍若巨魚之脊至八達嶺穿山洞四其末一洞深邃車行約歷五分鐘地勢愈益高仰氣候漸寒驗氣溫降至七十二度氣壓二八·四〇吋計高於北京已二千一百英尺矣晚住張家口東華棧

十二日晴早氣溫六十二度午七十二度上午十時赴都統署晋謁田都統在京籌備行役先已通訊接洽茲聆獎勉數語並道期望之意旋會晤胡參謀長名翊儒號聘三安徽桐城人恊商借用行帳馬匹及護送軍隊等事並承胡君告謂蒙地荒凉旅行極爲勞苦且時有匪踪出沒行李川資不宜多備應帶衣裝以粗簡爲宜行李儀器等件必須僱用騾車帳棚笨重携帶甚爲不便而自

張家口至包頭一段沿途皆有旅店尚無需此包頭而西可加函綏遠倪參謀長遥向包頭軍隊妥商借用至能否支架尚成一種問題套内處處有蒙古包若能就便隨在借宿竟不携帶棚帳最爲便利護送軍隊擬即函託豐鎮喬鎮守使遥派妥兵四名護送至綏遠惟軍隊不能越境綏遠以西應由蔡都統派人保護相宜另作接洽談次並及地方習慣及長行趨避各事詞意誠懇頗荷指導下午二時往遊賜兒山雲泉寺

張家口地界嚴關羣峯環列童山濯濯富有蒼莽荒凉氣象惟賜兒山當其西偏短樹叢雜别有青葱蔚秀之致雲泉寺在山腰間層巒聳翠飛閣流丹望之如在書畫中引人入勝尤多佳趣峭石壁立有石洞二洞口相距咫尺一結冰一流水而陰陽立判石壁上名人題詠甚多道士云舊時冰洞結冰可至七八月間不消近因調護失宜元機漸散寒氣凝結只能至五六月云隨意流連至

下午四時攝影去之
十三日晴氣溫六十二度午七十一度上午胡參謀長介紹拜會實業廳長龍振麟君孝感人人極慷爽富有熱心與言屯墾沿革情形至爲明切並贈墾政輯覽一部計十三册裝二巨函所有察境墾務沿革興替以及已往現在各成績具備册中復爲函介紹綏遠墾務局朱總辦譚科長等以便臨時接洽具見其情殷贊助誼可感佩
下午七時讌於都統公署胡參謀長亦在座席次田都統指示進行方略縷縷然既詳既切意至誠墾細味當時情景有如家人父子之相告語頓忘其爲官署僚屬者其爲誠能感人至可念也九鐘席散謝歸回棧後旋接交來都統介紹函二件一致蔡都統一致甯夏馬護軍使胡參謀長介紹函三件一致喬鎮守使一致豐鎮黃縣長一致綏遠倪參謀長

十四日晴氣溫六十九度午七十四度上午出辭行訖行裝妥備下三時由張家口搭京綏車七時至聚樂堡氣溫七十四度氣壓二六・二八吋計高於北京已四千四百英尺九時至豐鎮住同順棧土室狹隘環以土垣房間殊不整潔頗有板橋茅店之致自北京至此沿途考查風俗習慣其生活程度日以漸煞以較內地大相懸遠可見風氣通塞之異趣而旅行之人何能事事求全想望前途轉覺精神爲之一振

十五日晴氣溫六十度午六十八度上午晋謁喬漢臣鎮守使名建才曲阜人略談調查旨趣允爲派馬隊四名護送至綏遠並爲備函包頭沈旅長及綏遠蔡都統爲之道地盛誼至可感注旋復拜會黃箸忱縣長名樸紹興人託爲代僱騾車擬定即於明日啓行

豐鎮東門外有河流一道寬百餘米達水溜淺狹名東河溪水過河爲薛剛山

相連東偏小山高約六十餘英尺上建大王廟登峯遥矚河形蜿蜒南下廟守云亦爲桑乾河之一

十六日晴氣溫六十二度午七十度上午六時馬隊騾車已齊集即由豐鎮啓行四十里至馬王廟打尖又四十里至壩底宿焉共行八十里

壩底又名漢淸壩西有鹹湖一區土人謂之大海據云長凡八十里寬二三十里居民取水煮鹽謂之小鹽色略黄不及他處所産者然不可謂非天然之物産也村居大海東南野店二三家土屋穢黑惡臭逼人食品昂貴白麪每斤價須銅元二十枚製法粗陋殊不適口絶無佐食菜蔬等類僅向村農購得鷄子數枚食時同人約略前途爲之囅然

十七日晴氣溫五十七度午七十四度上五時由壩底啓行五十里至蘇集打尖又三十里至小壩子騾車越嶺而過最高處氣溫七十四度氣壓二一四·五

二时計高於北京已六千四百英尺過嶺時盤旋而上復盤旋而下亂石磷确普徧轍迹車行振蕩腦爲之昏飛沙眯目不容瞻視晚至廠汗不浪借一商舖寄宿適値村中演劇男婦往來道途相屬蒙人亦有至者村民約九十家是日行一百十里

十八日陰氣溫六十二度午七十一度上午五時自廠汗不浪啓行至水磨打尖晚住二十家子盡日行山谷中計行一百里

考其命名初義村中原有蒙人二十家今則漢人約八十家蒙人只餘一二物競生存天然淘汰有如斯者漢人租種蒙地每頃押價十千文歲租一千文（每千合大錢三百五十文）又納官稅銀二錢地宜小麥高粱莜豆穀子等每畝收麥四斗每斗約重三十六斤

十九日雨氣溫降至四十六度候至九時尙濛濛未已乃出雨裝冒雨登程行

數里天漸晴遙望北山高峯積雪冷風砭人肌骨易著綿衣猶瑟瑟然道路泥濘車行時虞傾覆五十五里至哈巴小營子其西有哈巴河蓋即小黑河也過河不數里行李車陷泥淖中百計不能出乃向附近居民借得馬三匹羣助呼拽始得脫險晚八時至歸化寄住和義棧是日計行七十里

二十日晴氣溫七十一度午降至六十七度上午十時僱車赴新城在歸化城東五里先至都統署晤副官長韓筱波君名金元天津人畧談蒙地氣候荒寒人烟寥落以及行旅苦況各情形並云上午非都統會客之時余等擬先至墾務局測繪所等處先一接洽因即留刺興辭先往測繪所晤所長喻君振遠名金聲山東濟甯人同人等以鄉誼攸關語次頗不隔閡據謂現辦測務已派出四十人出測伊克昭烏拉特兩盟規定測法不作三角綱綫只以齊普雷蓋耳測量儀器名推測地形平面圖規定比例爲十萬分之一意在迅速成圖用力省而

見效速旋蒙導領參觀測繪成績內有綏遠八縣地形圖及歸綏薩拉齊包頭五原等城廂等圖甚合調查之參考繼至墾務局先晤譚仲德科長長沙人並承介紹拜會朱荷宜總辦北京人談次詢綏境墾務沿革情形朱君盛談墾務歷史約一小時許略謂自前清貽靄仁將軍奉命放墾以欽差之威望雷厲風行故事易舉自達拉特杭錦準噶爾等諸蒙旗踴躍興起報墾者甚多當時計畫在後套開鑿幹渠八道支渠三十餘道墾務於以大興嗣後發達區域莫非沿其成法無能駕而上之者獨惜其功成遭忌參案發生繼起無人弊竇日滋額定蒙租不以時給蒙人思想簡單以信用爲要着今既鑒於覆車不復報墾而樂於私租乃至十數年來毫無起色此其可爲浩歎者也民國肇興南北多故政府不暇兼顧及此而綏遠一區軍力薄弱又復盜賊蠭起匪首盧占奎嘯聚多人占距後山沿及後套焚掠殺戮慘無人理墾戶望風逃避千里爲墟三

數年來西北墾務掃地盡矣嗣得蔡都統到任力任征勦匪徒聞風遠竄居民漸次來歸墾務亦以逐漸發展余（朱君自稱）自民國五年奉檄來此歷攷其沿革成績以及失敗之主因皆因官府失信於蒙人以致報墾者少故決定辦法以恢復信用爲要義不專重於徵收蒙人有事來局隨到隨見一一推誠接洽以故近數年來報墾者又漸興起查六年份放地一萬餘頃七年份放地已達二萬餘頃進步如此頗具樂觀西北一隅久爲外人所垂涎若不及時加意整頓實力興闢國際競爭瞬息千里浸假而爲外人之殖民地悔無濟矣談次都統署以電話約會乃與辭往謁蔡虎臣都統天津人坐次述明調查宗旨蔡都統略謂黃河上游有利無害治河計畫似當從下游著手上游蓄水恐係理想之談但諸君至此自應一爲勘查所需護照及軍隊護送各事卽當照辦請與韓副官長接洽應無不妥下午六時與辭回棧

二十一日晴氣溫六十四度午七十四度仍至綏遠新城會見張參謀長紹蘭已將介紹各函送交訖據云倪參謀長因病未能會客所有護送軍隊已由本處函行包頭五原等處駐防兵營分段接替護送當已妥協並會見總務處長兼理旂務元愷君議及僱用蒙文繙譯一節據云此間通蒙文者無多當𠛬函包頭沈旅長託其僱覓不致誤事

二十二日晴氣溫七十一度午七十六度赴墾務局膽繪地圖五幅並至氣象觀測所校對氣壓表下午七時由氣象觀測所員王哲明君交來民國五六七年綏遠氣候成績三册擇尤錄存

二十三日晴氣溫七十二度午七十八度至本城汽車公司會晤公司經理朱君據云本公司成立宗旨爲西北交通便利起見計分長途三大段規行汽車自豐鎮經綏遠至包頭爲第一段業經勘測刻正動工修築路線大約陰歷七

月間自綏遠至包頭一小段即可試驗開行自包頭經五原至甯夏爲第二段自寧夏經蘭州至新疆爲第三段次第興辦均在計畫中旋即興辭至城南大拓即喇嘛廟之通稱拓前有井曰玉泉水極甘冽居民皆取汲於此井凡八口水小時祇得一二可資汲取拓内列有市場商務不甚繁盛拓東曰南大街爲全市精華萃積之地百物咸備

二十四日晴氣溫七十二度午七十九度整備行裝由歸化啓行過道拉土木至台格木打尖下午過畢克齊爲一小市鎭街長里許有郵政代辦所一處晚住查蘇齊計程約一百二十里

二十五日晴氣溫七十度午七十九度由查蘇齊啓行六十里至討斯號打尖下三時遇雨暴風冰雹車不能進停置道中約二十分鐘晚住薩拉齊縣城計程約一百三十里

二十六日陰氣溫七十四度午八十二度由薩拉齊啓行沿大青山南麓過拔升齊其地有石綿鑛繞道往觀其綿夾生石層中厚約分許破石取出狀如切斷之江搖柱搗之則輭如綿土人名之石花憑覽久之採取原質少許以爲標本攝影而去行五十里至沙爾沁打尖出沙爾沁遙見黄河一帶蜿蜒東南行雖在上游尙饒浩淼之勢下午六時至包頭寄宿忠義和店是日計程約一百一十里

二十七日晴氣溫七十四度午八十三度上午十時至旅司令部拜晤沈凝三旅長名廣瑹毫縣人丰采整雅頗有儒將氣度深明地理據之黄河上游自荒原至於寗夏皆因河水以爲利居民引流漑田愛惜周至以故寧夏一帶引水工程設置極爲周備蓋惟患其水之小而不患其大也既過龍門穿潼關至芒山頭以下一帶平原時虞潰決因循遷就已成不治之症諸君此行詳悉履勘

爲上游闢墾蓄水之計使下游水勢日漸於疏消而不至於漫溢河套墾務亦即漸躋於發達之境此實爲國計民生莫大之計畫余不自量自以爲稍識其概略而樂與觀成焉至諸君進行路綫自包頭達於寧夏陸路有三一爲後山路線較遠騾車可行一沿黃河北岸崎嶇較少亦可通車惟此路冬春可行夏秋積水每有艱阻一由前套伊克昭盟取徑較捷然此路多風沙漢人行旅者絶少只有蒙古包爲蒙人行居之棚帳可以借宿而食用品物必須自爲籌備騾車馬匹亦不能行只可僱用駝隊乘駝而行水站甚少飲料最爲要着其間沙嶺起伏方向莫辨盛暑時期行人往往有渴死者至爲勞苦此外則取水程僱備舟楫循黃河逆流上行惟須多費時日究以何者爲適煩自酌之余等以沿河西行經過後套三呼灣等處便於查勘乃决計由水路進行原議借用帳棚一節遂作罷論旋即興辭至墾務局晤局長馬笠樵君名家驥奉天人原姓

昃曾充西盟水利局總辦談次詢以烏拉三公旗開放情形據云三呼灣現有地二千四百頃現正開渠放墾云旋辭出至薩縣行署薩縣面積極廣當五原東勝未設治以前所轄遠及河西河北東西千餘里直與甘肅之平羅縣境接壤今五原東勝雖已分治而所轄範圍尚縱橫三百餘里設有行署佐理地方行政事宜當晤行署第三科長謝晉臣君據云此處人民望水若渴諸君此行爲調查水利人民必表歡迎現在薩縣城東南五十里大代村地方擬開支渠一道將請渠道大王王同春君爲之勘定渠線估計工費規定實行計畫此渠若成獲益定當不少談竟辭出因東勝縣知事胡佐臣君寄居包頭亦往晤焉旋至警察署値署長公出乃至農會拜晤會董李文德君名士修包頭人據云該會創辦伊始一切尚未就緒現在計畫擬創辦試驗場試種木棉及森林尚未著手此間往年氣候較寒至秋分節夜已見霜近數年來霜降之期漸遲至

白露節後小雪始見冰清明即能開凍此其變更和暖原因當由地方人烟漸稠墾植漸多所致五穀以穀子爲大宗糜子次之小麥高粱又次之每歲小滿佈種處暑收割云云此其墾闢之利可見一斑也下四時回寓沈旅長派繙譯員曹岫豐君薦來繙譯一員姓溫名士傑字子俊歸綏人年四十餘歲向在包頭及內蒙各地經商議定月薪洋二十元

二十八日晴氣溫七十六度午八十五度至中國銀行接洽欵項事晤營業主任劉雲笙君名承霄天津人據云五原寶豐寧夏等處均無銀行不便滙兌郵局章程甯夏滙兌可通但每千元需滙費八十元

二十九日晴氣溫七十二度午八十度早九時至南海子查看黃河形勢南海子在包頭東南十五里逼近河濱爲黃河上游最大碼頭帆檣林立停船以百計寧夏之皮毛糧米京津之布疋雜貨均於是起卸轉運南海子至包頭運貨

牛車繹絡於道各行商號皆在包頭城中南海子只有小商號數家而警察署清源局釐金局各機關皆備因至警察分署會晤署員劉燮廷君名玉臣山東長清人余之故友也同人亦皆魯籍鄉譚甚浹即留午餐具見盛意河中有汽船二一名探源一名摩斗乃由劉君介紹與汽船公司經理方君晤叙據云黃河上游水溜無定汽船行駛時虞擱淺現因赴天津購辦機油未到尚未開行俟油到後當試行開駛未審能通行無阻否也汽船係甘肅省長所籌設以備急者刻正由省長陳明中央請撥洋十萬元疏濬黃河上游以達行駛汽船之目的能否成爲事實尚未敢必云云又輪船一艘係一比國人所置未及開行其人旋卒此船寄泊南海子已數年矣下六時回包頭

三十日晴氣溫七十五度午八十二度晤費如海李仁山二君皆包頭人回教徒也美國副領事甘露脫君曾作西北之遊其過包頭時與相知交來時曾由

甘君介函宣叙既周備承欵洽並蒙先後約酌儀從回式座設高牀蒙以錦氈速客登牀坐以不脱履爲敬意謂脱履爲愛惜錦氈將以薄視主人也坐次主人拱立於下食品以次登每一具至主人必啓視必嚴必敬其習慣如此同人等不相習竊不安也

包頭城倚山而築北高南下費李二君居城北偏地勢甚高俯視南城房舍盡在足下南海子黄河亦歷歷在目城東北有九龍塘源水頗旺因地勢之順利常引塘水入城以淨街市之浮塵焉

三十一日陰氣溫七十度午七十九度在寓校正儀器下午雨

六月一日陰氣溫六十九度午七十八度

二日晴氣溫七十度午八十度是日爲舊歷端午節下午至東門外轉龍藏地居高阜九龍泉水經其下綠柳扶疏景物宜人適值演劇紅男綠女往來如織

廟前隙地幾爲之滿周覽一過拍照而回

三日微雨氣溫六十八度午六十九度煩由李仁山君代爲僱定柳木船一隻下午三時僱車至南海子登船船以柳木薄板合併製成形勢長方甚爲笨拙黄河上游水勢平靜故以是船通行無阻若在下游平原亦時一見之用載柴草而已船三艙中艙以葦箔搭爲席棚門向上僅以避風雨入其中須屈身而行船長四十英尺寬十九英尺載重之量順水約二萬餘斤逆水一萬餘斤

四日陰氣溫六十一度午七十度早九時在南海子沿流設置量水尺二支以驗水面之漲落煩由警察署書記員趙鳳岐君逐日記載並施測黄河斷面及流速流量等事計河寬二百六十八米達平均流速每秒一・〇七五米達流量每秒五百四十二立方米達有奇下五時沈旅長所派護送軍隊上船乃定於明日啓行

五日晴氣溫六十五度午八十一度上午七時由南海子開船過官渡口黃草窪馬吃灣至召灣泊宿河形寬狹不一灣曲極多自南海子至此計程陸路約四十餘里水程凡七十里

黃草窪有清源局一所專以檢驗船隻據舟子云船於起行地點須由淸源局買票一張費約一元限三日作廢以後由所經過之淸源局檢驗逐段買票云

六日晴氣溫七十二度午八十六度早六時開船經柳林子至昭君坟相傳係昭君之衣冠塚在河南岸約七八里遥靑石磷砌的係小山昭君坟之說想出附會未足據也濱河有淸源局一處自昭君坟以西沿河南岸沙梁連亘與河略成平行距河或十數里或七八里不等過此爲全把圖有河南省人租地居留已數年於此據云地租每畝三四千文其土質爲七分泥三分沙之壤土二尺以下則爲純膠泥再下而沙又下則爲紅土於植物最爲相宜惜地勢高亢

懇種無人致使膏腴之地棄同石田至可慨歎又西爲三岔口三呼河入河之口也三呼河爲黃河之分流自三呼河口出黃河東流二百餘里至三岔口仍滙入黃河其間與黃河夾成之地曰中灘亦曰三呼灣地勢平整土性腴美最宜引水灌溉約計可耕之田七千頃現由烏拉特東公旂報地二千四百三十頃已陸續開渠放墾此外荒地尚多平原沃壤棄置可惜又西過羊腸灣至談蓋卯泊宿自召灣至此計程陸路凡四十餘里水程約爲七十里

七日陰微雨氣溫六十四度午七十二度上午三時半由談蓋卯開船經打不蘇台至蘭虎圪堵河面甚寬約爲八九里河溜分爲三支往來船隻多由支流趨近四望無垠莫非荒地每三五十里偶有居民數家孤立平原不成村落行過吳慶太黃河山召至古欽台泊宿陸路凡七十里水程約爲九十里

八日晴氣溫六十四度午八十度上午四時由古欽台開行至六分子新挑河

渠一道當河之南岸曰官牛渠詢之土人謂地屬達拉特有地七百五十餘頃業已逐漸墾種地商由蒙人包租每頃錢一二千文轉租於花户每頃價銀六兩刻由達拉王倡辦開渠應需工費分由花户計畝均攤每頃平均攤二十兩共計銀一萬五千兩規定渠底寬二丈二尺口寬二丈八尺深六尺由六分子直達古欽台長約三十里刻已竣工尚未溝通行水其挑法亦以方一丈厚一尺爲一方每方銀二錢三分每日每人挑二方半然小工每挑一方得銀不過一錢餘則爲工頭所得可見包工之弊到處皆然似此荒漠貧民益無公論可想見也各地上水之後每頃押租價銀須四十兩云又西過富家圪堵拉薩尹四圪堵二頃地晚泊北岸此間偪近黄河兩岸都無村落是日計程陸路凡八十里水程約爲一百一十里

九日晴氣溫六十八度午八十四度上午四時開船經哈喇烏蘇至三呼河口

三呼河出河之口也停船審視三呼河口寬約三十米達平均深一米達流速每秒七十六生的又西經過西山嘴兩岸均係蒙荒未經墾闢紅柳叢生一望無際運柴之舟停泊者甚多皆係船商向蒙人購買販往包頭托城一帶行銷者每船載二萬餘斤易以磚茶十餘塊或二十塊不等按磚茶之類別有二曰三九茶曰二四茶三九茶每箱三十九塊每塊值銀五錢二四茶每箱二十四塊分兩較重每塊值銀八錢蒙人習慣均以磚茶爲貨弊通工易布咸取給焉近地平坡中生植甘草山荳根尤多狼針白草芨萁等屬夾雜其間根蒂盤結非常堅固有如石質又行經大仙廟(亦名馬五渡口)烏拉河過此則入後套地界晚泊董牛河頭亦名沙圪堵居民八九家皆漢族以紅柳爲垣茅檐土屋間或就土嶺鑿穴而居要皆半耕半牧所有牲畜夜間亦即放於草地不煩羈勒當亦不致逸少是日計程陸路凡四十里水程約爲六十里

十日陰微雨氣溫六十六度午八十六度早四時由董牛河頭開船一帆風順進行頗利河面最寬處約及十里經西哈喇烏蘇至同興堂渡口南岸有城櫃土屋十餘間渡口停舟十餘皆運堿者土八云堿諸爾（諸爾蒙語湖也）在渡口南十里其取堿之法每歲至小滿後西北風起堿則結晶以竹爬自水中撈出納於布袋中以牛駝之行則水分漸滴行二晝夜則已凝成堅塊運至包頭托城等處付堿行經煮後方爲純堿每船載三萬斤計價銀二百兩每歲出三五十船不等城櫃經理即所謂渠道大王王同春也下五時大雨約一小時方止七時停舟於荒郊中兩岸無村落不詳其爲何地是日計程陸路凡七十餘里水程約爲一百十里

十一日昨夜大雨席棚滲漏行李爲之浸溼至天明始晴氣溫六十六度午七十四度早三時船開行經山荳河頭至塔布河口已將淤淺又經老郭渠口現

正施工挑挖另開新口通渠工程行將告竣王同春及所在各社長分段監工查此項工程係西盟墾務局總辦王濟若君倡修集貲銀三萬兩官督民修辦法甚爲周妥下四時至義和渠口計程陸路凡三十里水程約爲四十里義和渠八大幹渠中之大渠也渠口距隆興長約七十里水溜頗旺渠寬二十一米達深二米達流速每秒七十三生的船由渠口入渠將以逕達隆興長渠左岸有土城一座僅餘廢壘痕迹土人呼曰土城子且謂係宋楊業故跡似出附會徧尋無碑碣可考究不知築自何時沿渠順流東北行經賈方旅店天已昏黑因係順水舟子乃願連夜進行

十二日陰氣溫六十六度午八十三度早四時舟至隆興長後套之重鎮也團司令部西盟墾務局烟酒公賣局電報局郵政局等各機關皆在鎮中商店十餘家率皆日用尋常之物十時先謁團部適團長公出與施桐軒團附晤叙少

頃興辭至西盟墾務局拜晤總辦王濟若君名用舟直隸定縣人性情慨爽據云後套渠道近數年來類多淤淺往來溉田千頃者今只一二百頃塔布老郭長勝諸渠尤爲淤塞之最甚者弟自民國七年春接事以來頗留意於整頓辦法曾歷赴各處履勘查各渠每歲淤積痕跡顯然可見平均約有七八層土質蓋自入民國以來渠工漸廢積淤挂墊歲有增加若欲將各渠一齊整頓興修乃苦於無此巨款應規定逐漸整理之計畫而爲節次之圖客歲冬招集王同春及各社社長推誠相與使之勸諭各大戶設法集貲先從老郭渠實行今已集貲三萬兩動進行工作凡已四十五日再五六日即可竣工老郭渠挑竣後再以次整頓各渠倘假以七八年之期限或能稍有起色現八大幹渠中水勢稍旺者惟纏金義和二渠而義和渠爲烏拉西公所屬什拉胡魯素地之專渠立有履行條約上游不得築壩取水灌田於是沿渠一帶乃無絲毫之利益惟

此渠自黄河行百里至五加河復循五加河故道又百里至什拉胡魯素約共二百餘里水勢至此亦已微弱蓋同一之水勢在上游每日可灌田十頃者至此只三四頃而已現在規畫竊擬在塔布河左近另爲烏拉西公開一專渠取徑較捷水勢乃不至甚弱而俾義和渠得以澆灌沿渠之地是爲兩得其利區區之見尚未知何日果能辦到否也並云此間初無相當潔淨店房諸君即可下榻敝局刻已收拾房間幸不客氣誼惟感許時前任五原縣長王沛生君（名文墀山東濟甯人）尚在隆興長即往訪晤前五原歷任知事皆寄居包頭自民國五年間王君首移治五原辦事並約王同春出爲董理鳩工築城以資扞衛旋經匪徒肆擾兼任王同春編練鄉勇晝夜巡邏竭力護守縣城左近賴以無恙如王沛生君其眞爲胆大心細敢於任事者哉宣叙之餘不禁欽佩又請其介紹謀與王同春君一晤據謂王同春現在老郭渠監工三數日當一至

此至時當爲介紹乃興辭出至五原縣城在隆興長北五里城內商民無多地面半多空閑逕赴縣署値縣長王卓甫君公出會晤承審員趙君略與款曲乃辭出即移住於墾務局在隆興長義和渠橋下設量水標一支

十三日晴氣溫六十九度午八十二度王沛生君王卓甫縣長靳春圃團長及綏遠道署查烟委員王鳴玉君等以次過訪王沛生君謂蒙人所以不肯報地者皆因官府失其信用不能以時給租之故愚謂蒙人思想簡單重信用希圖近利不如按畝給價查其可以放墾者一律收爲官有永斷葛藤蒙人驟得重利當未有不首肯者也靳春圃君則謂後套各渠有來源無去路灌漑不盡則水積渠中故淤塡甚易五加河係黃河故道承各渠之委現已淤成平地失其容納之効用愚謂不如逕將五加河挑挖溝通水有通流則諸渠餘水亦有所歸宿不至停淤而五加河以北狼山以南一片平原之地亦可以鑿渠引水爲

利益溥云云諸君子皆久居套地熟於屯墾者故皆言之成理可采取也

十四日晴氣溫六十八度午八十度王沛生君邀至廟中午餐同座爲委員王鳴玉君營長胡立齋君墾務局委員王露亭君公賣局長楊怡生君談次楊怡生君亦主張開通五加河與新團長意見相合王露亭君係保德人地近天橋據云天橋形勢河寬八步行石崖下傾斜甚陡水溜下趨如瀑布聲聞數里輕舟可通危險殆甚云云

下午四時由王沛生君介紹會晤王君同春年過六旬長身魁梧出言若訥而其詞亹亹不盡之意望而知爲工程專家飽於閱歷者今記其談略如左

渠道之緣起　後套區域墾迹荒遠前清初葉尚無溝渠計畫迨道光三十年河溢北岸水勢奔騰冲成塔布河一道墾戶引水灌溉頗得其利於是發動開通渠道之思想長勝渠開鑿最早成於咸豐七年灌漑田畝凡五十四淖爾每

一卓爾約計田畝三五頃不等至光緒二十九年渠口淤塞施工興修相地另開新口直衝河流水勢乃暢老郭渠開於同治八年係地商郭敏修所創辦初開規定寬度僅一丈八尺至十二年施工重修渠槽一律加寬加深計可溉田一千五百餘頃是時余（王君自稱）已在後套營業見而慕之經營數年稍集餘貲當於光緒六年建築牛犋一區曰隆興長現在墾務局東偏之樹即當日之牛犋之舊蹟光緒十五年開義和渠二十年改修渠口其後沙河恒河二渠以次興辦其最後開者爲中和渠時在光緒二十六年是時余有義和中和恒河沙河四大渠以外尚有小渠四道牛犋十八區墾田凡千餘頃風氣一開於是各地商亦均集貲開渠所有纏金皂火諸渠皆以次成立是時統後套之渠道灌溉田畝幾及萬頃其爲端微畢鉅可概見矣

渠道之廢弛　自光緒二十八年貽穀被命放墾首嚴私墾之禁責余與郭敏

修供糧共一萬七千石按畝徵租奪渠歸官余鑒於大業成興爲人覬覦勢力所在萬難以流民螳背之力與之相低抗乃將十八牛犋合併爲一先從事於縮小範圍以求瓦全旋因與豫人陳四素有爭端陳四忽被暗殺余乃誣以嫌疑被逮皂白尚未分明勒令納田贖罪稍事猶豫禍且不測於是數十年之經營千餘頃之產業一旦劃除盡歸烏有此余之所椎心而泣血者也近數年來因事赴綏遠必南北繞道而行不敢經過隆興長而自撩其悶憤之思想而傷其心計自貽穀放墾以來所用之人既無水利知識對於荒墾又無整頓方法因陋就簡苟且因循經過數年聽其棄置以致原有渠道淤塞澆灌田畝日以漸少在光緒三十一年份尚能收租三萬三千兩以後遞減只收二萬餘兩迨至三十四年貽穀去職墾務機關亦已大半停頓近入民國以來國家多事鎮守無人蒙匪盧匪繼踵而起焚殺擄掠慘無人道後套居民望風逃避渠道無

人挑濬勢必日就淤塞直至今日其廢弛之景況殆亦不堪注目矣

整頓之計畫　五原所屬計後套之地絕長補短東西凡四百里南北百里綜計約有二十萬餘頃間去其沙礫不毛之地其可耕者約有六萬餘頃其間除陪教地四千頃實有萬頃再除達旂永租地二千頃杭旂粮地四千頃烏拉西公旂什拉胡魯素地一千七百頃達旂四成補地一千四百頃達旂報效五原城基地五百頃又共約萬頃外可墾者尚四萬餘頃今查其地勢尚可添開幹渠四道(一)藍鎖渠西(二)永濟沙河二渠之間(三)什拉胡魯素附近(四)皂火渠之西統計四渠所費不過五十萬元再於舊有八大幹渠二十餘小支渠從事興修大加疏浚所費不過五十萬元共計實洋不足百萬元則此四萬餘頃之地按現行水租每頃銀四兩五錢可以加至八兩計在二三年後則此項修渠之工費即可以收回惟本處居民不習灌溉之法當一絕大之平原普

偏放水乃至低窪之處深已數尺高處尙無涓滴是則須從事教導設法改良使其分別高低界以土埂高水以澆高地低水以澆低地因勢利導俾得各盡其利則水無慮靡之水而地亦無荒曠之地至蒙人不肯報墾之説蓋虚語耳重利以誘之信約以將之立法簡當示之以誠彼蒙人將趨附之不遑顧安得有不肯報墾之説耶

王同春字濬川直隸邢台人自八歲時從其先人營業入套三十歲以後即壹詣倡辦修渠經事極多閲歷甚富其於渠道工程計畫雖不諳習測量而臥地以窺即能查知地面之高下現年已六十八歲精神貫注望而知其爲飽經閲歷者後套渠道多所擘畫創修善與蒙人交涉蒙人畏而信之而所交涉之事無不成者不與教徒相往來以故五原無教民其積威所至亦可概見現時綏遠界内興築渠工必請其視察地勢以定計畫六分子渠工亦其所規畫也其

於三呼灣形勢亦甚熟悉據謂三呼灣當與大河並行開渠三道可溉田七八千頃又西山嘴西南三十里薩圪達淖爾新開一渠現已竣工計可溉田千餘頃亦爲其所規畫者

下六時王濟若局長王卓甫縣長設宴相款在座有蘄春圃團長楊怡生局長施桐軒團附談次王濟若君謂大青山烏拉山原多森林綏遠新城初建時所用木料皆取給於此聞於光緒年間二山相繼失火成災甚巨其後遂成童山生機掃盡云

十五日陰微雨氣溫六十九度午七十九度王濟若局長過談並以後套渠墾檔案及永租地畝租戶花名清册見示坐次談及三呼灣墾地情形據謂三呼灣係烏拉三公旂公共之地前由烏拉東公旗以該地三分之一報墾計二千四百頃及丈收時該旂復於南偏截留一段以致不足二千四百頃之數經包

頭烏拉特三公旂墾務局長馬笠樵陳明都統與之嚴重交涉該旂乃允於東偏劃撥以足原額云

十六日晴氣溫六十五度午七十九度王濟若局長交來八大幹渠分圖及後套渠道全圖各一幅均經照繪以備參攷

王濟若局長精力嚴毅歷事核實經理墾務習爲勤勞所有後套渠道歷經親往履勘分繪其後套渠道全圖一幅乃其履勘時匠心獨運漸積而成者歷談其所獲成績良可欽佩聞其在套地事業尙有大旅行二綫一至後山一至前套長途只帶親隨一人乘馬而行往返皆經歷數十日似此專心實業不憚勞苦如王君者良亦不可多得自謂鞍馬忽忽不能多有記錄乃至成績未能表著頗致惋惜云

十七日晴氣溫七十度午八十七度下六時靳春圃團長相約赴團部晚餐同

座爲關營長敬修胡營長立齋施團附桐軒諸君酌談甚洽八時回寓遇雨

十八日陰氣溫七十二度午八十六度拓本處錫匠示以圖式製造量雨計一具煩由墾務局書記員趙子傑君按日記載

十九日陰氣溫七十二度午七十九度出測義和渠道綫水準比較南北地勢之高下上午十一時由隆興長義和渠橋北偏設置木標起測先向下游過老趙圪都至什拉庫倫木標止全段兩岸皆係高地不能上水附近所在間有用人工以柳斗戽水灌溉田畝者仍占少數餘則荒草叢生無人墾殖是日共測水準道綫十二里下午八時雨

二十日昨夜大雨雨量一〇·四米立米達十時晴霽氣溫六十八度午七十八度續行測務仍自橋北木標起沿義和渠向上游進測經過劉圪都戶口地王善圪都同興德兩岸多荒地迄於同興德橋下游木標止計測水準道綫十

八里

二十一日晴氣溫六十七度午八十五度僱舟至什拉庫倫木標起向下游進測經過巴仲地兩岸地平頗低支引渠水灌溉最爲便利再下過迎水橋鄧村圪都等處相連已墾之地甚多麥苗挺秀饒有生意再下至東壩頭爲義和渠與五加河交會所在五加河係黄河故道河面甚爲寬展而河底淤墊乃最高計低於地平僅一米達餘河底荒草叢生源流久斷義和渠至此乃於河中挑成小溝一道引水至什拉胡魯素以故義和渠道綫以此已爲止點設置木標爲記識盡日計測水準道綫凡二十里

二十二日晴氣溫七十度午八十七度

二十三日晴氣溫七十二度午八十七度整備行裝續赴各機關辭行下午七時登舟準備於明晨絕早開船西行靳春圃團長派來保護軍隊旋亦到船守

宿

二十四日早雨九時雨止氣溫六十四度午七十度開船沿義和渠逆流上行下午一時至同興德登岸仍接木標續測船亦緩緩隨行經過曹家圪都西牛犋至呂討氣天已昏黑乃設置木標準備接點船亦於此停泊計測水準道綫二十四里

二十五日晴下午陰微雨氣溫六十度午七十八度上午五時登岸續測接呂討氣木標經過二元子賈方旅店至義和渠口止計測水準道線十八里核計測得結果義和渠全線長凡五萬一千八百八十九米達上下游渠底差爲四·六二六米達其渠底傾斜約爲一萬一千分之一

時王濟若局長適在賈方旅店驗收老郭渠工往訪會談并即叅觀老郭渠渠道工程據王局長謂王同春及各社長規定此項渠道挑挖工程係以目力測

視渠底斜度恐難一律自渠口以北二十餘里該處渠底似稍高仰恐於行水有礙擬請代爲施測一過藉作標準等語余等乃爲之設誌測量自賈方旅店至老郭渠口一段計凡七里旋以雨止相率回舟即宿於義和渠口

二十六日晴氣溫七十度午七十八度上午六時王濟若局長以車馬來迓因復至賈方旅店會晤蓋預定於是日行老郭渠開渠放水禮式新團長王縣長以及各機關局長等咸於前一日齊集故亦邀余等偕往參觀幷拍合影一照以作紀念既到賈方旅店會齊集赴渠口當時因黃河水弱不能放水入渠王同春君備以兩羊及饅頭食品等物致祀河神虔誠求水旁待一人以清水頻澆羊身羊兀立不爲動跪禱許久羊身爲之一抖則起告曰神已許我矣數日間必有水至視之有如兒戲而土人則謂王同春君在套數十年常以此法求水歷試不爽習俗所尙可以備觀風焉楊怡生君則謂彼王同春既審黃河消

長之機視水欲漲時乃作此法亦愚人理或然云然則其爲獨智亦可想見既王同春君謂新挑老郭渠底寬四丈二尺口寬四丈八尺深六尺以此際渠底傾斜觀之一晝夜水行一百二十里每日可溉田四十頃云計核渠槽水量及其强弱如數故典生平專長尤可欽佩十二時回船

在賈方旅店時與王濟若局長閑談據謂王同春晚景荒凉境遇甚苦其長子能克家早卒尙餘次子不嫺生計用度奢侈習於狎邪王同春有地百餘頃付之經理數年之間虧累甚鉅王同春有舐犢之癖蓋雖知無如何也余愛王同春之多才而富有毅力常思有以位置之以終其天年而彼則習與性成總不改其少年之習性作事動觸法網支節横生似此景象其末運殆將不堪設想云言下頗致慨歎

下午一時由義和渠口開船西行過二皮河頭至惠德成下椗河北岸有蒙古

包數座偕往觀察毡包外植紅柳爲籬其包下圓上尖式如雀籠幷以柳枝編排牢固上下周圍覆以毛毡其間無牀帳以毡鋪地爲臥具所有鍋竈什物咸納其中有蒙婦席地坐窺見異言服者多人殊不驚駭問之則言不問亦不語一似有特別定性者此固其良善本色然亦可異已是日計行水程約二十里

二十七日晴氣溫七十二度午九十度早五時開船西行經過沙河渠十大股渠阿善渠鄔家渠皂火渠歷查其各渠渠口皆較義和渠爲小水勢亦差弱又過馬窰免渡口至劉三地住宿舟泊左岸黄昏後聞對岸槍聲三作舟子大驚余等尤不習其夷險頗有戒心護送之軍隊乃各荷鎗實彈換班巡邏迄於明晨幸無意外然究不知茫芒荒漠槍聲何自來也是日計行水程約八十里

二十八日晴氣溫七十五度午九十度早四時開船行經過戶口渠協成渠兩岸紅柳遍地荒草叢生莽莽荒原別饒野趣協成渠口寬約二十二米達深四

米達水勢頗旺又行經過黄家壕渡口天吉太渠剛目渠晚泊土默渠口計行水程八十里夜微雨

二十九日晴氣温七十度午八十七度早六時開船過强家渠口水質甚濁多泥沙復經天德元渠五大股渠晚泊纏金渠口土人名爲官渠係地商甄玉所開貽穀放墾時於此大加修濬聞費工銀八十萬兩爲八大幹渠中之最大渠也水勢甚旺舟楫出入其中者繹絡不絶是日計行水程六十里夜微雨

三十日陰微雨氣温六十六度午八十六度早六時開船經過藍索渠口渠寬二十五米達流速每秒約八十生的再行過薩爾蘇亥渠口正在施工挑挖尚未開渠放水詢之土人謂自此以西皆係教堂地所有各渠皆爲洋人所開復經黄圖拉亥河準噶爾河過黄楊木頭入阿拉善界行經棋盤柳子至克克木堵留泊南岸紅柳叢生枝條皆甚短其高不蔽人目樹杪每有燒灼痕蓋蒙人

以畜牧爲專業有嫌於林木之礙目不能遍查牲畜之遠遊者故爲設法翦薙便於瞭望是日約行水程六十里

七月一日晴氣溫六十八度午八十六度早四時開船過烏拉河至羅畔招亦名渡口堂近岸停舟十數隻有羊毛數百包堆積岸上舟子列帳司守亦黄河之小碼頭也復行過毛老海渡口土地平坦微帶鹹性又過天興泉渠西岸仍係教堂地土質肥美墾種已甚多大抵皆爲蚕豆豌豆菜子之屬及過三聖公一帶河東岸地勢陡峻高者約二十餘米達粗石帶沙脈絡隱現不定蓋自昭君坟以西南岸沙嶺連亘與河並行距河遠者或十數里至此而逼近河岸晚泊陶斯免計行水程約一百里

二日晴氣溫七十二度午九十三度早四時開船風頗順過金山廟永和江河西岸始見沙堆東岸仍係粗沙碎石山嶺連亘又過阿羅套海喇嘛莊（左岸

名富家灣子）至克克阿郎河中露沙灘一區徧生紅柳土人亦名曰中灘東岸地帶城質過此已近磴口晚泊河東岸距磴口尚約十里是日計行水程約一百一十里

三日陰微雨氣溫七十五度午八十度早六時船至磴口隆興長派來軍隊護送至此爲止境此間住有寗夏馬護軍使昭武巡防隊一連當即至連部拜晤何珠如連附申明來意據謂已接馬護軍使來電應即妥派軍隊沿途護送云是日在磴口施測黄河斷面一圖河寬三百一十米達流量每秒一千零十八立方米達有奇並擬就地設置量水標一支以驗水流之衰旺酌覔相當土人隨時記載

磴口爲阿拉善王所轄區域原設有蒙古衙門居戶約三百餘家大抵以漢人爲多蒙人亦間有之而回教徒亦不少水道交通往來亦黄河口岸之重鎮也

四日晴氣溫七十六度午九十二度製造量水標成即設置於磴口南偏菜園附近煩由小學堂教員智熠君按日記載

按水經注有支渠東出謂之銅口鐙銅音相近疑即指此處而言今茲查支渠舊跡殊不可見計自昭君墳以西沙梁綿亘至此則山脈起伏逼近河身地勢益爲高仰絕無往昔渠道遺跡並以詢諸當地故老迄無知者查此地自漢唐以來久淪異域蒙旗以遊牧爲生居無定所雖地面時有變更而文獻無徵故跡湮沒亦已久矣向來地學家按之圖說考證今昔時復以已意爲斷定究其實蹟殆未易言也有本地首事萬君適過舟次因邀至舟中會談據云原籍江蘇於同治八年從軍至此計今已五十餘年當時漢人只四五家在此營商以粗布磚茶米麵等食用品物交易蒙人之羊皮駝毛等貨時爲轉運頗獲其利繼則接踵而起從此者漸多客籍日增商運發展積之以漸遂有今日之景象

云
下午四時在磴口測務諸事設置完備沿途護送軍隊亦由何連附派撥前來乃開船行至三十里敖包泊宿是日計行水程約三十里

五日晴氣溫七十五度午九十三度早五時開船十五里至王元地西岸沙堆距河漸遠瀕河地面平坦低下已經墾種又二十四里至察漢圖亥蒙古人一家近河設置毡包以爲住所畜駝五六十頭羊百餘隻溫緇譯員往與接洽蒙人贈以奶皮等物親送至舟中誼甚敬摯余等報以麪食歡然感謝而別又行二十餘里至海巴子灣東岸桌子山山脈逼近河濱河岸峻陡高處凡二十餘米達其質皆爲沙礓自此以南西岸有石喇叭山自烏拉山分脈沿黃河南下兩岸石崖逼窄河身灣曲水溜甚爲湍急再前行東岸有金山與桌子山脈相連舟子云山上沙中有金故名金山引領南望兩岸山嶺中夾黃河而上直至

石嘴山方盡再行過沙壩頭至烏藍木頭泊宿計行水程約九十里

六日晴氣溫七十六度午九十五度早四時開船行約十五里至河拐子河行山脚下底皆碎石直至石嘴子一路皆然舟子謂爲石河每逢險要所在合同行兩舟之縴夫協力牽引舟始得上否則不得上行緩且不測云過河拐子西岸有炭櫃炭係石喇叭山中柳葉溝乳牛溝等處所產現有人開採設棧櫃於河濱準備行銷以便裝運再行數里東岸有甘草莊號其甘草之大者徑約寸許每斤價三十文莊號就地收買束之成把堆積如山俟晾乾後運至包頭河口鎮等處銷行轉入內地每斤約銀一錢云又行過磨石溝山脈相逼河溜更窄測得斷面一圖河寬凡三百二十五米達流速每秒平均一·三五四米達流量每秒一千零五十八立方米達有奇再行至牛家溝大風逆舟不能更進乃泊是日祇行水程三十里

七日晴氣溫八十二度午九十五度大風阻舟不得前下午七時風稍息行僅五里而泊

八日晴下午陰氣溫七十六度午八十七度早六時開船至三道坎沿河兩岸塊石堆積河中逼仄水溜下洩如瀑布舟行至此甚爲費力據舟子云自河拐子入石河至石嘴子出石河其間險要所在凡十有四自北而南以次計之曰牛家溝曰三道坎曰歪脖子砂曰二道坎曰狼毛砂曰蟶腰砂曰二子店曰頭道坎曰齊家礦曰呂藍子砂曰北韃子灣曰跑馬崖曰迴水窩曰螞蝗溝此十四處均須聚精會神合二舟之縴夫互相協助方能通過云過三道坎東南風大起舟子惕然不敢前進乃停泊是日計行水程祇十五里

九日晴氣溫七十五度午八十三度早四時開船過歪脖子砂二道坎狼毛砂蟶腰砂二子店頭道坎計經著名險要凡六處下午三時暴風又作舟遂停計

行水程約三十里下午雨

十日早雨氣溫六十四度午七十三度風頗順利舟子冒雨進行過齊家磧呂藍子砂北韃子灣跑馬崖迴水窩螞蝗溝至二子渡西岸臨河有炭井一處會晤其經理董復生君據云每日出炭四五千斤以交通不便定價未能提高平均核計每千斤只賣銀一兩云下午二時至石嘴子計行水程約五十里

十一日晴下午微雨氣溫六十六度午八十六度

石嘴子依山而營築西高東下有洋行三四家皆設莊號以收皮毛貨者入口皮毛各貨皆於是處裝載起運沿河帆船停泊近百餘隻街內有郵政代辦所及徵收機關十餘處其北偏有關帝廟高樓三層可瞭見十數里外其西逼近山坡亂石磷砌炭質顯露居民用炭即擇地掘下數尺取炭以驢載之而去極爲便利其南有風水洞係平地疊磚爲闕下通行人當石嘴子至寧夏之通衢

額日映河峯又有白虎洞在石嘴子西山中相距約三四十里云
上午十一時由王衡之馬昭如兩營副派兵護送開船進行過黃渠稍（即惠農渠稍）爲石口堡地屬甘肅省甯夏道平羅縣境自此以南西岸土地平坦沿各渠一帶林木蔭翳村落密接大有內地鄉村景象東岸仍係砂嶺連亘與河並行行十五里東岸砂嶺去河漸遠濱河亦見有平坦地面名爲巴音套海有鄭萬福張三王老板三家牛犋設置於此並有佃戶二十餘家墾地二十頃
下午五時風又漸起船泊西岸計行水程約十八里
十二日晴氣溫六十五度午八十八度早四時開船經過尾閘堡省嵬堡廟臺堡永平堡等處其地水勢散漫兩岸多淺灘間有墾種地段所種皆糜子扁豆胡麻之屬又行過沿堤堡河東岸逼近山麓石崖陡峻質紅色名曰紅崖子一河自東南來入黃河詢之舟子云此河水色綠而味苦長約三百里即名爲苦

水河晚至紅崖子渡口停泊計行水程約五十里

十三日晴氣溫六十八度午八十九度早六時開船遥望沿河淺灘與水面幾成平綫現值大雨初消淤泥深可數尺舟子牽纜行於淤泥中往往沒脛不能出匍匐手足始進一步乃致舟行緩濇經過渠陽堡靈沙堡至五堆子據舟子云五堆子原在西岸乾隆年間河流冲徙分五堆子爲二區河西曰内五堆子河東曰外五堆子今仍舊也五堆子有渡口其東岸即通安定神木榆林之大路又行過河溝官渠渠不甚寬而水勢頗旺兩岸無堤因其不易淤塡故無挑鑿痕跡又行過河溝西渠河口渠已皆淤淺不適於用涓涓細流僅以不涸而已晚泊國家粱子有土房十餘所多空曠無居人詢之村民云於民國六年河坍左岸陷地凡三四里本村田畝皆成水庫居民之生計既盡漸謀西徙今茲居者已寥寥於以知黄河上游無患之說殆非確論只以上游高原接入河套

地廣人稀一任黄河之蕩折暢行而無所限制故不復覺其爲害若此處之坍陷而在内地人烟稠密之處計其損失爲害必不止此數而流傳亦易於昭著是皆事實上利害相因之機也是日計行水程約六十里

十四日晴氣溫七十二度午八十九度早四時開船經過渠口堡右岸有平灘曰陶胡盧灘土地平坦村落三五相連屬舟子謂此係寗夏將軍馬廠舊址今已放墾有渠一道資灌溉再行過渠口堡渡口至六中堡住宿於任家嘴子是日計行水程約六十五里

十五日微雨氣溫七十二度午降至六十八度早三時由任家嘴子開船經過通城堡至滂渠口水勢頗旺又數里至昌潤渠口渠寬二十餘米達將舟入渠至同富堡停泊是日計行水程約五十五里

十六日晴氣溫六十七度午八十七度由同富堡村中定僱牛車裝運行李即

由此間舍舟登陸牛車行甚遲緩同人步行勘測猶時出其前經過清水堡惠農渠測取斷面一圖沿惠農渠支渠甚多平原墾植已遍半多種稻旋晤清水堡學校經理楊文棟君據云此地農作每年芒種佈種白露收割稻田每畝種籽一斗計可收割四石每斗價銀平均七錢其概略也晚住李剛堡是日計行程二十里

李剛堡城周約四里居民八十餘家店鋪約有三四十家廟宇六七座堡中楊樹數株遠視形如寶塔俗謂之冲天柳就店旁一株測之圍大八尺高十倍之聞其年限不過三十載可謂宜矣自入寧夏境時見樹叢中有挺出之樹蓋即此類也

十七日晴氣溫七十五度午九十度早六時由李剛堡啓行沿途平原類多荒蕪往昔曾經墾植尚有田埂遺跡今則蘆荻叢生遍地皆是詢之土人謂此地

爲唐渠灌溉區域因近年唐渠水小不敷灌溉滋生之用故多荒廢十一時至薛剛堡打尖又行經過八里橋雙莊子而抵寗夏即入城住廣茂店是日計行程四十里

十八日晴氣溫七十七度午九十一度在寗夏廣茂店探明城内軍政各機關前往接洽即赴司令部護軍使署道署縣署等處拜謁均未會晤詢之適因馬護軍使有少子患痘現象甚危不及會客而馬司令及道尹縣長等亦咸赴護軍使署探候故均未得會見云

十九日晴氣溫八十度午九十二度上午余介彛縣長過訪告云馬護軍使因其少子患病不能出委其照料一切旋又司令部馬雲卿副官過訪謂馬司令現患目疾不可以風俟目疾稍痊當來拜會云

二十日晴氣溫八十二度午九十六度

寧夏氣候大致與內地略同時值陰歷六月天氣炎熱正午時氣溫總在九十度以上早晚亦八十度上下城內街道寬敞鋪面整齊商業交易頗繁百貨俱備出口貨以皮毛稻米爲大宗其爲商務發達以較歸化包頭等處殆有過之無不及也

二十一日晴氣溫八十度午九十三度往謁甯夏道尹陳君名必淮號三洲湖南人也晤會之初態度極爲冷靜旋詢以汽船行駛之事同人以未經留意此事頗覺難於答覆因即陳明此次調查眞意爲勘視黄河上游水量能否於河套平原擴充墾植事業多開渠道卽以減殺下游水量汹湧冲激之勢且聞寧夏區域渠道工程興建最早制度精良足爲農田水利之模範以故同人等奉檄奔走撮其調查職務之大端自旅行套地而外尤以調查甯夏區域水利沿革爲切要申談至此道尹乃幡然動容謙詞遜謝謂適未詳諸君來意乃以爲

調查河道行駛汽船而來今諸君所爲調查水利本諸政府關切國計民生之至意推而廣之極爲弟歡迎查寧夏區域共有大渠四道曰大清渠曰唐來渠曰漢延渠曰惠農渠灌溉田畝頗著成績弟自到任以來考查地方行政之利病亦曾留意及此近年渠道水源日漸減煞每有不足之患常思設法改良求爲一勞永逸之計畫擬於青銅峽河流仿照西式建築鐵橋之法建置活動鐵閘一座引諸渠併爲一口時因黃河水勢之衰旺啓閉其閘門而節制之俾水量小時可以保持平均而盡其利綜計其工料所需約爲銀十萬餘兩惟裁制此項重大工程計畫必須有水利工程專家妥爲規定乃能周備今此處殊乏此項水利人才正擬請一外國工程師爲之決定頃談諸公考查事項與此事殊有關係日內稍息遊踪尚煩一至峽口（即青銅峽）相其形勢彼此誼屬一體不煩客氣如有所需容派委員妥爲接洽云云同人乃遜謝而出

二十二日晴氣溫八十二度午九十二度官銀號副經理孫漁滄君過訪君名樹霖山東歷城人誼甚款洽談次謂此間留意農墾事業者有前鹽務總辦石寅生君安徽人曾在新城西北偏購得荒地一區計長八十里寬凡三十里實計價銀只五千兩其間有河渠一道已漸堙塞石君擬大加整理振興實業云是日爲官銀號開幕之期彩觴宴賀假座於福慶戲園當地官紳咸集同人亦預焉

二十三日陰氣溫八十一度午八十八度馬雲亭護軍使馬子寅司令先後過訪

二十四日陰氣溫七十二度午八十二度由道署擕來綏遠甘肅勘定邊界案卷一册遂即翻閱一過擇要錄存查全卷記錄係綏遠都統呈請劃清邊界將伊克昭盟之地分隸於各省者統劃歸由綏遠管領其與寧夏有關係者凡兩

項一爲五堆子村落在黄河東岸原屬爲平羅縣管領綏區委員則指定以河爲界此地應爲綏屬而平羅公民則謂乾隆四十八年河東徙將東永惠堡冲去一半當時被災之民無所安置遂令徙居東岸淤灘仍完平羅正賦今茲已歷數世對於改劃之議誓死不願一爲鹽池縣長城以外有甘省人民墾植之地綏區委員欲以長城爲界而甘肅謂頭道長城之外尚有二道邊城乃欲以二道邊城爲界因而雙方爭執迄未剖决查册中有圖四幅均經照繪檢存以備參考此外並攜來漢唐清三渠圖搨片一幅此圖刻於碑上原立於大清渠正閘附近旋經水利提調黄鞠偲君移置於城内龍王廟中以便保存云

二十五日晴氣溫七十六度午八十九度

二十六日晴氣溫七十七度午八十六度馬護軍使邀至署中晚餐同人等攜帶圖幅請其指示概略告謂黄河上游流域山脈相連多所經歷容於暇日當

詳爲研究以資參攷時石寅生君亦在座談及伊所購地段規定計畫興辦農務林業作爲地方墾植之模範而爲之倡現在著手試行業經種有洋槐千餘株高已三四尺不等派有人工從事培養待至明年即可分植云

二十七日晴氣溫八十度午九十三度石寅生君過訪言購地經營墾牧之計畫始末據謂所購係新城滿族生計之地長八十里寬自二十餘里至三十餘里不等其中有渠一道曰沽恩渠係唐來渠之分支現已淤淺蓋前清統兵大員董福祥籍隸寧夏家擁鉅貲而後嗣不續董在日與回族感情甚惡地方回族頗占勢力董既去世生恐回族瞰其富興心攘奪無由控禦即當地官府亦復懸懸於雙方之嫌隙旋奉中央政令爲旗人籌生計乃由甘撫勸令董氏捐銀四十萬兩撥二十萬兩於新城馬場開渠建屋以爲旗人生計之資豈知旗人懶惰性成不習農事田地荒廢渠道亦以漸淤塞迨其結局乃至拆卸房舍

木料以易錢米生計於以罄盡原有地面旋議出售本地商民只出價銀二千兩不肯再事增加竊以爲二千餘方里之地面議只値銀二千兩未免太廉且查旗民依此地以爲生計者約爲二千戶如價出售每戶只分得銀一兩揆以情理亦太可憐乃以自出價額銀五千兩與之成劵即收此地爲己有繼謀整頓計畫相其地面已就近渠之地試行墾植以漸推廣並就地畜羊千餘隻以資生息查普通畜羊之家每羊百隻定以公羊十二資其孳生竊以爲公羊之額太少不無孱弱之弊因爲酌加每羊百隻置公羊十五平均計百羊每歲可降羔七十羔皮每張時價約値銀一兩七八錢其老羊每隻歲翦毛二斤半足抵牧人之費又於其中購置美國種羊二隻其毛白細而長以較本地羊種較爲佳勝即翦毛之利亦倍於本種將使之以漸蕃息以期推廣亦寗夏實業一大宗也向曾與一日本人會談據謂中國羊種原以寗夏爲最佳近數年日漸

退步何以知之蓋有日本人曾購寧夏種羊數隻攜至本國牧畜經過三四年其毛色之佳比於此間現年所產者且數倍此其優劣變易之消息蓋因中國畜羊不善擇水草草枯時又不加意調養皆因其牧畜不調乃致其生機不暢故有退步也向聞石君注意實業今兹聽其議論足可表見又據云開渠工程鄙意以爲過於糜費歲歲修濬其勞費亦復不貲鄙意濱河之地可試用抽水機向曾詢得機器一架口徑四寸水頭三丈每小時抽水一萬二千石每日用煤半噸價值洋四千元審若是則溉田須水平均以一尺計之每小時灌田約五畝比於人工溝渠等項工程費用抑若可爲也

二十八日晴氣溫八十二度午九十三度道署送來寧夏府志二册查其考徵謂水經注所指銅口即青銅峽寧夏即古之朔方郡云以是言之斯枝渠東出之説固爲有著矣無惑乎前在磴口徧尋東出之枝渠乃不得也

晚赴司令部約酌談次及回漢結親可以融洽感情一節馬子寅司令回教徒也以爲漢女嫁回族尚爲無礙回女嫁漢族即不能恪守回教之五大條規掌教知之罪其父母以故凡在回族萬不敢一開其端耳

二十九日晴氣溫八十度午九十二度同人出發赴西門外唐渠橋測取斷面二幅渠身淤淺過甚已斷源流惟橋下積水瑩然詢據土人云因上游蔣鼎堡地方支渠開放陡口水盡入之故致此處斷流測其渠底低於兩岸者僅一米達四五高於地平者約一米達七八橋下設有水尺一枝查其標識以五寸爲一分晝全尺共爲十五分渠底高約當水尺十分之處記載人云舊時七分行水九分旺水今則非至十三分不能行水意當日渠底必與水尺底基爲等平於今計之實已淤高工部尺五尺餘矣查寧夏舊制向有水利同知一員專管渠道通塞利病事宜今則裁併所司職務則歸之道署各科科員担任經理亦

兼設有提調委員各職因其各有專司乃至不得常至各渠周行巡視且水利行政之興替初無顯功惟一經廢置則窳敗立見竊查水利之往績棄置之殊非政計大是可惜及今補救是非另設機關專管渠道恐無起色之一日

三十日晴氣溫八十二度午九十度步出南門查見有紅花渠一道渠寬約四五米達乾枯無水其淤積與唐渠相等是爲唐渠之支渠

三十一日晴氣溫八十一度午九十度接到水利提調黃鞠僊君來函邀於明日往遊賀蘭山卽覆允之

八月一日陰氣溫八十一度午八十度上午七時會晤黃鞠僊君並其介弟鶴垣君偕行作賀蘭山之遊道出城西門過唐渠橋村落密布地多墾植十五里至新城城周約七八里商店十數家原有寗夏將軍衙署現已改爲寗朔縣公署所有旗人房舍半多傾圮自入民國以來旗民之生計益無着落大都散於

四方留者蓋寡故其現象如此出新城西門値微雨西北行十里以內村落相接阡陌溝通墾種之地殆遍用唐渠之水滋灌漑所種小麥胡麻等屬均已登場堆積村外場圃間者處處皆是十里以外地漸高仰沙質相間未經墾闢荒草叢生一望無際橫渡沾恩渠過渡之處兩岸皆荒原未經墾植自此南望三四里許馬場之旗地在沾恩渠遙望迤北十餘里平原一片即石寅生君所購有飛沙成堆土人謂爲元昊故城不及詳考又行約十里見有羊圈一區詢爲冬日畜羊之所現在暖節草盛均放牧於山中其圈遂空又十里經一村落曰高季墶只有居民一家旁有泉水亦以畜牧爲生者自高季墶而西道路漸崎嶇石塊徧地地勢亦益高仰生植品物惟甘草酸棗之屬與野草雜生其間邐迤三十里至賀蘭山遙望兩峯廻抱中藏廟宇甚多其地名曰小滾鐘口轉過山麓乃見道路須盤旋而上沿路經過送子菴老君堂茶棚小洞天等處至大

悲閣住宿時已下午六時强矣以氣壓推計大悲閣地平高於寗夏城凡一千三百餘英尺下午八時復雨計盡日行程凡七十五里

二日大雨氣候驟寒氣溫降至六十四度午六十六度查賀蘭山突出地面甚高居人常以爲避暑佳境地勢原爲高爽又值大雨沛然故寒度益增時於雨中矚望烟靄濛濛咫尺峯巒不辨黛色同行諸君尋幽念切初不憚攀躋之勞零雨興嗟乃未備遊山之屐矯首山靈遊踪竟阻對坐無聊相與攀敘談次方知黃鶴垣君曾爲渠道委員其於寗夏渠道沿革情形頗稱熟悉據述清唐漢惠等渠概畧云唐渠長三百二十五里溉田凡十八萬畝惠農渠長三百二十里溉田凡十六萬畝漢渠長一百九十里溉田十四萬畝大清渠昌潤渠皆長七十里各溉田二萬畝往哲開鑿此項渠道計畫極爲周詳慘淡經營前功具在有飛槽有暗洞有退水閘有正閘種種制作靡不盡利且因地面高下自然

之勢使唐渠餘水可以自由退入清渠清渠退入漢渠漢渠退入惠農渠以有餘補不足間接溝通而水無枉費綜計其最著之績有四一爲唐渠之口地勢優良一爲清渠之跳逼高水位一爲漢渠之退水閘操縱便利一爲惠農渠之箭不易淤塡凡此制作均已經過數百十年靡不利用如新歷經中外工程專家參觀考查咸爲歎絕第以經理不得其人所在滋爲弊竇原設渠長渠夫假公濟私藉圖中飽春工挑浚則折草折夫（壩草按畝輸納具有定額近多由胥役折銀代購半爲乾沒又春工以上段夫挑下段下段夫挑上段距渠遠者私納苞苴不赴工作）夏令放水則勒索賂賄（不納賂者不得水）考其實蹟以較王全臣渠務良規所指之渠務之弊殆有過之而無不及及今計料若復謀爲補救之計是非從根本上大加整頓嚴定規章則渠務終無起色然而爲政在人其人存則其政舉其人亡則其政息良可慨也抵掌數言偉業如覩言

外有不盡之感尤以見其注意云時已近午十二鐘晴乃得周覽巖壑勝概賀蘭爲西北形勝晴日可以眺見黃河惜雨師敗興山路崎嶇未能登峯造極一豁眸子賀蘭廟在大悲閣南劃山而建爲前清光緒間寗夏知府謝葆靈所創修地方紳富集貲重新適始落成卽於是日虔修告成禮又有飛泉嶺泉水循嶺而過以目力視之一若下游高於上游泉水乃有上行之勢地方紳宿執以爲水能倒流矜爲神異實則以氣壓測之下游低於上游者約七英尺鄉人之迷信神怪往往若是又據紳宿述謂山中有元昊避暑宮在大悲閣西約二十里又筆架山（三峯並峙故名）後產一種硯石俗名賀蘭石其溫潤不遜於端硯是處在大悲閣西南亦約二十里均以陰雨未果往

三日晴氣溫六十四度午八十六度偕黃鞠僊君等由賀蘭山回城庽至唐渠橋渠已有水測其平均流速每秒〇·六四二一米達流量每秒十五立方米達

有奇

四日陰氣溫七十六度午八十度下午七時大雨傾盆簷溜如注居人謂數年以來如此之暴雨未曾有也

五日晴氣溫七十七度午八十六度步出東門里許紅花渠自南門外繞城北來石橋橫架其上時因大雨水勢正旺其未沒石橋者僅三四寸渠東有高台寺疊磚爲台高約七八米達寬約五十米達長倍之寺建其上寗夏府志謂舊有高台寺城在府城東十五里今寺尚存不知其是否當日舊蹟城則久淪圮無可攷矣下九時雨

六日微雨氣溫七十八度午八十一度由道署擕來渠務良規（印本）渠道雜錄（抄本）各一册分別錄存以備參攷

七日雨氣溫六十三度午七十度

八日陰氣溫六十二度午七十一度

查水利同知王全臣渠務利病書謂唐渠長三百二十三里溉田六千零二頃以後續開大清渠分去一千二百一十三頃餘尚溉田四千七百八十九頃漢渠長二百三十八里溉田三千七百九十七頃大清渠長七十五里二分溉田一千二百一十三頃（惠農昌潤二渠開鑿尚在其後故未言及）與黄君鶴垣在賀蘭山時所述互有參差其道里之不同當因鄉間所言里數無準則姑不足論惟比較今昔溉田之多寡則渠道之廢弛已顯然矣

九日晴氣溫六十五度午七十七度由修志局攜來寗夏水利志稿一册所有清唐漢惠昌潤等渠以及靈武中衛等縣各渠創修之年代灌田之多寡渠道之長寬深度以及現在興替各情形具詳其中時寗夏方在興修新志書此編輯將成正待付印本也分别擇要錄存以備參攷

十日陰氣溫六十八度午七十九度是日爲寧夏北塔廟會之期塔在城北五里因城內西偏有西塔故以北塔爲別城鄉士女或乘車或步行擊　摩肩道途幾滿塔下有廟廟前搭棚演劇城鄉遊人咸集於此立而觀者無慮千數北塔凡十一級道士架木梯其中可緣而登達其第九層計已高於平地一百十英尺其上二層甚狹隘未能至已

十一日陰氣溫七十四度午八十七度踐道尹之宿約偏車赴青銅峽道署委員黃鞠偲黃鶴垣二君相伴連日偕遊誼甚洽上午九時啓行出城南門過紅花渠沿路湖蒲叢生車馬轍跡皆在積潦中進行甚苦二十里過大新渠有橋梁曰王元橋大新渠唐渠之支渠也渠口在王元橋西南里許與黃君昆仲徒步往觀以石甃爲陡口長三十四米達寬二米達傾斜甚陡水勢下注如瀑布自王元橋以南皆稻田一望無際再行見熟田間有高粱糜子好麻之屬沿漢

渠西岸取道至大官橋沿路果樹成林頗茂密時漢渠無水測取斷面一圖渠兩岸堆土爲堤甚高厚係挑渠所積橋下舊設水尺一支以五寸爲一分劃共十八分詢據記載人謂六月二十日水至十六分在近期爲最高云過大官橋至楊和堡住宿堡中房舍整潔居民富庶有商舖數十家縣立高等小學校一所是爲寧夏城南著名村鎮四野平原土質甚佳業經墾種無荒蕪地窪下處稻田居多間有高粱糜豆村西北隅叠磚爲台建廟其上輝皇壯麗台上有古楡一株枝葉紛披蔭可半畝是日計行程約四十七里

十二日陰氣溫七十六度午八十一度由楊和堡啓行所經多墾地皆用漢渠水以資灌溉至王宏堡北沿惠農渠左岸南行有飛槽横架惠農渠上考其形勢蓋惠農渠水面較低不能澆灌兩岸高阜之地故架木爲槽引漢渠水以接濟之槽以木板合成架以木柱寬四呎高三呎六吋長一百呎槽上水面高於

惠農渠水面凡五呎再行有唐鐸暗洞洞設惠農渠底所以引漢渠退水伏流而過以入於黃河者又前過王宏堡惠農渠橋沿惠農渠右岸行過飛槽三四復越惠農渠左岸至葉昇堡打尖遇雨幸旋止惠農渠正閘距葉昇堡約五里紆道往觀正閘曰龍門橋凡四空每空平均寬十三呎水磨渠飛槽即建於正閘石梁上其東八步有退水閘名曰建瓴閘凡四空每空平均十二呎時惠農渠水甚小涓涓細流僅以不涸蓋因正在挑挖口門堵塞故也再折西南行至漢壩堡亦名小壩即漢渠正閘也正閘四空左三空各寬十一呎右一空寬十呎旁一退水閘凡六空左五空各寬九呎右一空寬十呎測其退水閘上下水面之比較相差至三・七米達閘夫以草塞其空僅留洞寸許以退水否則聽其退落將一洩無餘矣正閘之北有決口一數日前興修適已工竣晚住漢壩堡龍王廟是日計行程八十三里下午六時雨

十三日陰新雨初收天氣驟寒氣溫降至六十二度午七十度上午五時由漢壩堡西南行西風凜冽砭人肌骨兀坐車中幾不能支二十里至大清渠龍王廟下車稍息命酒取煖並往觀大清渠正閘凡二空各寬十一呎上百餘步爲退水閘凡二空右一空寬十三呎左一空寬十一呎以退水入漢渠漢渠在大清渠東二百餘步大清渠正閘旁有貼渠飛槽越大清渠而過漑大清渠東岸之地當時施測三渠水面之比較大清渠水面低於貼渠水面一・七八六米達漢渠水面低於大清渠水面二・三三八米達大清渠右岸有碑亭一座碑已移入城中即清唐漢三渠圖石刻也過清渠龍王廟西南行一路白沙荒草墾地無多又二十餘里至唐壩堡亦名大壩住唐渠龍王廟日猶未午唐渠自西南來至此分爲二支各建正閘西一支曰唐渠正閘四空中二空各寬十呎外二空各寬十二呎東一支曰貼渠正閘一空寬十一呎龍王廟正當唐貼二

渠正閘之中間廟前有碑亭一座輪奐聳峙頗壯觀瞻正閘上五十步有退水閘凡四空右一空寬八呎左三空各寬十呎唐渠正閘下舊設水尺一支以五寸爲一分劃共十八分現時水面一四・三分流量每秒二十八立方米達有奇

午餐後偕黃君昆仲乘馬赴靑銅峽出龍王廟沿唐渠左岸西南行純係荒地徧生蓬蒿香蕈茁出到處皆是行五六里漸入砂磧又十餘里過山嶺數層而登山巔俯視黃河緊逼山麓山坡陡峻乘馬不能下乃棄馬步行盤旋而下直抵河濱左岸有龍王廟一座草房十餘間空無一物備以爲春工浚唐渠口時工人食宿之所右岸山嶺逼河尤近河自中衛入峽行峽中十餘里河身逼仄水溜峻急此地當峽之盡處河面較峽中漸寬然亦僅三百六十米達且從河左偏分河身三分之一以爲唐渠口疊碎石爲堺以逼水入唐渠從河右偏分

河身五分之一以爲漢渠口（係另一漢渠在黄河東岸）叠碎石爲垪以逼水入漢渠所餘黄河本流寬度僅一百六十米達而已使陳觀察建閘之計果行操縱自裕如也龍王廟南半里許有稅局一所局西山腰間古塔一百有八因高下之勢列爲九層每層自五以至十八甘肅通志圖謂爲天門陣者是也是日測峽口黄河斷面未竣天已晚仍回宿唐壩堡計自漢灞至青銅峽約行程六十二里

十四日陰下午晴氣溫六十八度午八十九度早八時復至青銅峽測取斷面一圖最深處凡五・六米達流速平均每秒一・七二八米達流量每秒一千六百二十三立方米達復過河右岸歷觀漢秦各渠口其口門正閘皆臨河而建非若左岸清唐漢惠各渠正閘距河十數里外也漢渠一口閘三空左一空寬十呎右二空各寬十一呎秦渠二口上口閘三空中一空寬十呎六吋外二

空各寬九呎下口閘二空左一空寬十一呎右一空寬九呎秦漢二渠口相距五十餘步二渠並行數里漢渠折東南流入金積秦渠東流入靈武前清光緒三十二年秦漢二渠口下游黄河右徙時陳觀察知靈州沿河右岸築石垪里許植柳數百株並於垪之盡處建豬嘴碼頭伸入河中以排水溜至今利賴之十一時乘舟順流而下過大清渠口累石爲跳横斷河溜水小則逼之入渠水大則越跳而過猶内地之滚水壩也又過漢延渠口有迎水垪與唐渠等又過惠農渠口水位漸低進水不利最易淤塞改口者數矣黄河自出峽口分爲數支近東岸者爲正流西岸一支俗名西河清漢惠三渠皆承接西河之水西河正河之間有馬家三灘居民數家有墾地下四時至葉昇堡棄舟登陸晚住葉昇堡約行水程一百二十里

十五日晴氣溫六十度午八十四度早五時由葉昇堡啓行經王宏堡楊和堡

調查河套報告書　日記　三百零九

王元橋下五時至寧夏城

寧夏地勢西高東下古人因天然之地勢開渠唐漢惠四渠唐渠水位最高清渠次之漢渠又次惠農渠水位最低各渠有正閘一座一渠之咽喉也正閘之上有退水閘三五座不等以時啓閉以調劑水量之盈虛此外如惠農渠東岸地高不能用惠農渠水灌溉則架飛槽引漢渠水以接濟之漢渠灌田餘水阻於惠農渠無所歸宿則設暗洞橋穿惠農渠以宣洩之種種設置具見匠心夫以科學未發明一日古人慘淡經營莫不得其要領亦良可欽佩矣

十六日晴氣溫六十八度午八十二度

十七日晴氣溫七十度午八十三度接黃鞠僊君函稱頃得蘭州急電本月十三日黃河陡漲九尺蓋蘭州城外河濱石岸刻有分劃近年以來河水盛漲時僅及六尺此次之大水爲數年來所未有故電沿河各縣加意防護以免不測

云

十八日晴氣溫七十一度午八十五度道署演劇宴客同人亦預焉夜大雨

十九日晴氣溫七十一度午八十二度石寅生君過訪談及寗夏渠道利病據謂嘗訪之鄉民每歲每畝漏規約一千文除豪紳不出外計夏朔平三縣之地爲數尚達十萬元左右皆入官吏私橐若提出此項漏規僱工挑浚較之官督民修得力必多蓋嘗見寗夏渠道春工修挑紳士估工勞逸不均且以上段之夫挑下段下段之夫挑上段村民憚勞利於不到工胥吏得以隱折古人定制之初意原以防惰而以後遂開猾胥奸吏方便之門官府雖知之而無可如何以故每歲到工者不及原定額數十分之七而到工諸人又復觀望徘徊在渠中作工者不過十之一二餘皆列高厚岸上轉相投遞一鍬之土經七八人之手及至一月期滿桃汛將至不能不敷衍了事以致每歲所挑不及所淤渠底

日益高仰古人立有準底石以爲挑挖之標準聞不見準底石已數十年矣與其官督民修積弊難返以致渠務廢弛計不如僱工挑修尚便於督查而能收實效今春弟挑沾恩渠長凡三十里計土僱工費銀只千餘兩月餘而工竣寧夏官紳莫不驚其用力少而見效速其明證也又謂陳觀察在靈州時於黄河坍岸築埽種柳頗著聲望若於初蒞寧夏時於渠道大加整理不難力挽頽風而乃因循數年無所施爲聲望已墮現時雖欲整頓亦難措手云下午五時馬護軍使邀至署中觀劇并留晚餐

二十日陰氣溫七十度午八十三度

二十一日晴氣溫七十一度午八十三度由修志局携來甘肅貢賦戶口志一册擇要錄存

二十二日晴氣溫七十三度午八十七度黄鶴垣君過訪據謂近日黄河水勢

過大將漢渠迎水㙯冲壞旋護軍使署副官梁子章君過訪梁君名義成安徽懷甯人向曾託其代僱駱駝備爲前套之旅行據謂曾到各駝行訪問言刻下駱駝均已放入草地須俟白露節後駱駝起廠方能僱到云

二十三日陰微雨氣溫七十五度午八十六度

二十四日晴氣溫七十二度午八十六度謁馬護軍使並攜黃河沿革變遷圖請其指示據謂自甯夏以上沿黃河一帶多所親經河遠源出于闐伏流入瀚海至碼磯雪山有泉百數平地湧出滙爲一流地名喀喀烏素即俗所謂星宿海也此處河尚淺狹乘馬可渡兩岸土質甚佳亦可墾種蜿蜒東南而東北過青海南天氣和暖青海周四十馬站（每站約六十里）水力甚弱不能浮舟海中有山喇嘛居之必至冬日結冰始能出購布帛粟米及日需品以備一歲之用前清光緒三十年有俄人柯資羅夫以布爲舟中實鵝毛渡入青海海中喇

嘛見之奔走駭汗驚爲神怪而言語又不相通經俄人口講指畫知以布舟渡過乃頂禮膜拜各國聞之發電致賀西人探險之力有足多者青海止水多魚秋分以前魚多游泳於入海之小河中自交秋分節後則盡數入海亦一奇也河折東行過貴德有地名郭米徧地皆松林所出木料甚多第以郭米以下河行山峽中水溜過急不能筏運販木者必自峽上游一一放入河中而令其夥自下游撈之運輸困難故銷路不暢貴德東四十里有地名水地川濱河大鎮也又東爲積石關水甚狹急輕筏可過但甚險耳又東大夏河入之又東洮河入之臨潭以南洮河兩岸徧皆森林空氣溫潤夏秋多雨又東大通河會湟河入之是爲黄河上游之四大支流其中以洮河爲最大約抵黄河之半大通河次之湟河又次之大夏河又次之四支河有一河發水皆足以增黄河之水量雖各支河上游皆有森林而不能緩其勢也大通河入湟河處有地名川口大

鎮也自川口沿湟河而上五十里有老鴉城其地有老鴉峽長數十里又五十里至碾伯又四十里有大峽又三十里曰平戎驛又四十里曰小峽口又三十里至西寧皆邊防要地西寧西南五十里有塔爾寺青海著名大寺也寺距湟源一百八十里黃河自納湟水後又東流八十里經蘭州城下距城僅三丈石崖高一丈上刻分劃前數日漲至九尺已甚危險若過一丈則蘭州城亦受損失又東二十里有桑園子峽峽長二十里中有狼舌石月亮石行舟多被撞碎人不敢渡又東北納祖厲河水（一名惠寧河水味苦）又東北納紅水河水二河甚小於黃河無大關係又東北至中衛有七星渠與河平行山水河穿渠底來會水大時常壞渠又二百里至靑銅峽自靑銅峽以下諸君皆所經歷無庸贅述云談既興辭回寓

二十五日晴氣溫七十四度午八十七度

二十六日晴氣溫七十五度午八十八度往晤陳道尹囑以東旋時與中外工程專家詳細討論以決定建閘計畫之可行與否並時常通函

二十七日陰氣溫七十六度午八十五度

二十八日陰氣溫七十五度午八十一度

二十九日晴氣溫七十一度午八十四度在寧夏調查諸事已竣乃議決至石嘴子候駝上午十一時赴軍政各機關辭行並在護軍使署晤副官梁子章君與談回教五大條規所謂五大條規者曰念曰禮曰齋曰課曰朝念者誦經禮者禮拜回族以每星期五爲禮拜日齋者回族於回歷年前持齋一月自星隱至星現水漿不入口惟勞動者可免課者賑濟窮苦朝者往朝土耳其聖地無力往朝者則遙拜之繼又談及西北交通之不便梁君謂近有吳君擬仿西伯利亞抬車之制倡辦抬車其車四輪上輕下重沿途設站站畜騾馬抬車至站

則易馬以行每小時約行三十里計由寧夏起六日可達豐鎮擬集貲本金二萬五千兩馬護軍使石寅生皆允認股據最近調查寧夏出口貨每歲約六百七十萬斤每日須二十抬車云繼至修志局晤書記馬君詢以甘肅貢賦志所稱更名地之意義據謂更名地係明慶靜王花園地後改爲民地故名各堡皆有自三四畝至數十畝不等較新地舊地爲優故新地以六升起科舊地以一斗起科惟更名地以一斗六升起科又謂寧夏民地得以互相買賣圍城多園地地價最貴每畝約銀百兩距城遠者每畝錢百餘緡至十數緡不等大抵回族多處地價必貴蓋回族勤儉耐勞善居積故地價爲之騰貴云下五時回寓馬護軍使送來手書屏聯數幅以贈別

三十日晴氣溫六十九度午八十七度偏車自寗夏回勘上午八時啓行出城北門過謝剛堡至李剛堡打尖一路多荒地晚住姚伏堡堡臨唐渠西岸居民

二百餘家渠寬約十米達已斷溜渠身尚整齊所住店在唐渠東野外房舍三五所各自爲鄰四周皆積水蚊蝻甚多撲面繞頰不堪其擾以草薰之稍戢而跳蚤尤多終夜不能成寐是日計行程約六十里

三十一日晴氣溫六十六度午八十八度早五時由姚伏堡啟行過大興東至平羅城打尖城只南北二門唐渠經其南門外城北多沙堆高與城等蓋自寧夏城而北沙堆甚少此其僅見也又北至丁家橋道旁水溝忽斷忽續謂係當年西河遺跡今已淤廢過丁家橋以北爲惠農渠灌溉區域支渠縱橫水勢頗旺禾稼亦有可觀晚宿黃渠橋大鎮也街長里餘黃渠經其村北（黃渠即惠農渠）石橋通焉店夥言附近田地每畝價銀五十兩以一斗四升起科外徵草料新戶歲徵三次舊戶歲徵四次云是日計行程約七十里

九月一日晴氣溫六十七度午八十四度早五時由黃渠橋啓行過石橋沿黃

渠東岸過范家橋當斗橋至尾閘黄渠放水閘也閘凡二空左一空寬十五呎右一空寬十三呎閘下游渠底低於閘上游渠底一米達餘閘夫以草塞之蓄水灌溉若水過大則開閘放水俾循渠稍東北流十五里至石嘴子南入黄河自尾閘越黄渠而北地多荒蕪十二時至石嘴子是日計行程約五十里

二日晴氣溫七十三度午八十三度王營副衡之馬營副昭如相偕過訪談及僱駝事據謂此時駱駝尚未起廠頗不易僱此地有紳士鄭君萬福號海峯威望素著與駝戶亦極熟悉當介紹相見或能爲力云

三日晴氣溫七十一度午八十一度鄭海峯君過訪託其代僱駱駝據謂刻下尚未至駱駝起廠之期其在草地儼如蒸食之在籠一日有一日之起色苟起廠稍早則一歲之間此項駝脚不耐重載故駝戶皆不肯早使起廠但諸公既不能久待當與駝戶磋商付以重價或能辦到也

四日晴氣溫七十五度午八十二度

五日雨氣溫七十二度午降至六十九度鄭海峯君已詢得駱駝數頭索値太昂鄭君往返論價多有委折歷時許久始能定議駝戶謂駱駝尚在草地遣人尋覔往返須五六日乃議决於十日啓行

下一時何玉山君過訪回教徒也與包頭李仁山君相知交李君有介紹函託其照料故來訪何君有駝數十頭船一隻談次據謂每船載羊毛五六十担每担三百六七十斤自石嘴子至包頭共價銀五六十兩駝担較小每擔二百七十斤每駝載一擔半每擔普通脚價銀三兩有時駝脚缺乏每担或漲至四兩若駝脚過多及回頭載每担或落至一二兩云又謂行前套有三路上下二路站大而水少惟中路每站有水且有腰站蒙古包亦多路經召蘇杭錦營盤等處此行取道中路最爲相宜云

六日微雨氣溫六十八度午七十二度測取黄河斷面一圖河寬三百八十四米達最深處三·八米達平均流速每秒一·三九八米達流量一千一百八十三立方米達有奇河東岸砂嶺起伏愈東愈高稍北臨河一峯峭壁兀峙與金山桌子等山沿河南來之山脈相連接此其盡處也山石多含鐵質山脚下壘石爲闕額曰登臨光緒已未年建適當渡河東行之通衢

七日陰氣溫六十四度午六十八度

八日晴氣溫六十六度午七十四度鄭海峯君過談略謂套内砂嶺連亘絶少平地惟石嘴子東南十五里黄河東岸巴音套海地方有田五十頃業經余與張王二家承領墾種後因河水迭次冲塌現存者只二十餘頃又石嘴子北黄河東岸阿羅套海地方有田約五十頃羅畔招地方有地約一百方里二處因地高不能上水均未開墾此外則砂磧瀰漫略無可耕之地又謂石嘴子一帶

物產頗富山中徧處產炭炭中似有銅質石嘴子南有磁窰所出皆粗磁五原包頭等處日用器具咸仰給焉河東山中產鐵前五十年曾有人開採第採取不甚得法旋以虧折歇業後隨無人過問礦物而外兼產甘草肉蓯蓉等植物甘草歲產四百餘船每船約二萬斤斤價約銀一錢肉蓯蓉歲產二十萬斤斤價約銀三錢肉蓯蓉產於阿拉善境內距石嘴子約一百五十里其形若魚苗生地中無枝葉之外現土人視土墳起則取得之云

九日陰氣溫六十八度午七十四度

十日晴氣溫六十八度午七十五度駝尚未至不克成行鄭海峯君來訪伊有城湖一區因在鄂托克境內距石嘴子約百里自光緒十七年與本地紳商集貲開辦運動蒙人費銀三千兩歲給蒙人租銀七百兩開採後以銷路不暢廉値出售二十餘年之間虧折約三萬兩各家皆退股伊獨任其事斯時艱苦萬

狀身家性命幾隨城湖以俱去矣後設法擴充銷路運行包頭平凉蘭州西安一帶城業漸有起色四五年來逐漸興旺湖周三十餘里每歲出城百萬斤左右價約銀一分取城之法每歲十月十一月間湖水乾涸城結晶於湖底泥中形如河中之冰其厚過尺工入挑去泥土以重十餘斤長尺餘之大钁頭掘成大塊載往各處城行銷售取之無盡用之不竭若再能推廣銷路獲利當更厚也

鄭君又云王同春所辦之城湖周圍不過十餘里自光緒八年某洋行開始倡辦苦無銷路曾經伊担任包銷每歲出城四五十船伊包一十五船每船付洋行價銀七十兩運至包頭可售一百六十兩繼以拖欠押價減所包船數十分之三以後迭減遂捨去之今取用已竭王君現時所採特其緒餘耳所出無多且參雜泥水其質不純

鄭君山西榆次人自其祖於同治初年居後套作地商嗣遇回族之亂迭經遷徙卜居石嘴子鄭君留心實業開辦鹹湖領墾巴音套海地養駝數十頭前後套各地多所親歷地勢瞭如指掌亦實業家也

十一日微雨氣溫六十八度午七十四度駝尚未至詢之則因駝散牧草地捉此失彼累有奔逸以致誤期同人等急不能待乃議決先渡黃河逼催駝戶連夜將駝赶齊預備啟行上八時至王馬二營副及鄭海峯君處辭行下午四時渡河宿蒙古召中

十二日雨氣溫六十四度午六十三度駝仍未齊不克成行召中有蒙古渡口邊官一員通曉漢語據謂石嘴子河東屬鄂托克旗渡口亦歸鄂旗管轄凡渡河貨物米每斗抽稅二十文麪食每斤二文羊毛每担二百文又謂伊盟七旗以鄂托克爲最大佐領六十拉薩最小佐領二十其餘各旗佐領皆四十上下

云下午五時駝已齊集定於明日取道中路向包頭進發

十三日晴氣溫六十度午七十四度上午八時由蒙古召東行砂磧起伏碎石瀰漫愈上愈高三十五里至溫庫魯杜公有頹屋一間四垣壁立上無苫盖駝戶謂昔有人居此今無矣蓋蒙人逐水草而居遷徙無定也復前行沿韃靼溝而東北溝中無水據駝戶謂大雨時期雨水滙入溝中西南流五十里至張三地入黃河循溝行十六里過溝東岸經一砂嶺爲是日所行之最高處以氣壓推之高於石嘴子黃河水面凡九百英尺過砂嶺地又漸低十八里至什拉葛兔漢人羊圈一所蒙古包三四處乃就羊圈左近設帳宿焉是日計行程約七十里

草地荒凉終日不逢一人中路素稱人烟稠密之區而行七十里始有居人則上下二路之荒凉可想見矣行裝卸後軍隊拾薪駝夫汲水坎地以埋釜煮麪

以爲食飢渴之際粗糲皆膏粱也所幸攜有牀帳尙免席地露宿而朔風凛冽從帳底吹入中夜以後氣溫降至三十六度嚴霜壓帳衾枕無溫交通不便之地旅行之苦至於如此

十四日晴霜氣溫三十六度午七十八度上午九時啟行過的二頂至克舍沿路仍皆砂磧絕少居人惟克舍有漢人羊圈一所畜羊五百餘隻遂設帳宿於羊圈左近適牧人坎地築屋現地質三層上層白色沙多土少厚尺許中層灰白色純係砂質亦厚尺許下層紅色純係砂質其厚不可知是日計行程約七十里

十五日晴霜氣溫三十六度午七十八度上午九時由克舍啟行沿路仍粗砂細石蓬蒿滿目陵谷起伏忽高忽下行五十餘里過紅山脚（山形如磨盤砂石色紅）又數里至新召宿焉是日計行程約六十里新召鄂托克旂之大召也（每旗有大

召一）召及喇嘛住房皆中國式頗壯麗整潔由溫繙譯員偕喇嘛房一所以備住宿喇嘛頗知敬禮迎至門外導入先敬鼻烟壺蓋蒙人相見互敬鼻烟壺一嗅後復互相交還同人等未備鼻烟壺由溫繙譯員與之爲禮繼以奶皮酥油炒米等相讓又導往各處參觀召內正殿三層金碧輝煌中置佛像二尊銅胎包金各高丈許係新自包頭定鑄者召建已數百年今値重新前廈尚未竣工聞其木工料一項爲石嘴子鄭海峯君所包辦計銀三萬兩其他泥工塑工銅工可以類推正殿之前有廣堂三處爲喇嘛誦經跳神之地外環列喇嘛住房百餘所

十六日晴氣溫四十二度午七十一度上午七時由新召啓行過砂嶺數層有積水一區周約二百餘步地勢稍低過此又漸高砂石瀰漫徧生蓬蒿黃羊（野羊黃色）千百成羣到處皆是見人則驚竄以去蓋套內地廣人稀故黃羊蕃息其間

以生以長囂囂然自得其所沿路率皆高地以氣壓推測其高於石嘴子黄河水面者率在一千英尺以上行五十餘里過一砂嶺地勢漸低又十餘里至召蘇湖濱其高於黄河水面尚八百餘英尺臨湖有蒙古包二座乃就其左近設帳住宿召蘇湖周約四里許水白而渾如腐漿不可飲是日計行程約七十里十七日晴氣溫四十九度午七十六度上午八時自召蘇啓行二十里有達藍圖魯鹽湖周約五六里其南逼近砂梁駝戶謂砂梁之南有堿湖二惜爲砂梁所隔不能見又九里爲巴彦七里圪烏素有蒙古包三座土房六七間又六里一砂嶺而東地質細沙帶土間有碎石蒙人擇地墾種多植糜子時已成熟方從事於收穫禾苗單弱高不及尺地係烏藍吉里木召内之地招蒙人之知稼穡者分種之共墾二十餘頃均係旱地每畝所收不過三四斗又十三里至烏藍吉里木召借喇嘛房一所宿焉是日計行程約五十里

十八日陰氣溫五十度午六十九度上午七時由烏藍吉里木啟行沿路細砂帶土徧產蒿萊二十三里至達拉罕道勞鄂托克杭錦二旗之交界也又八里有一高原東西廣約五里南北長約十里地質土沙參半未經墾種自入前套以來地勢皆忽高忽下似稍平之小段落蓋僅見也又十四里過圪達子烏素始見飛沙又十三里至哈他土借蒙古土房住宿是日計行程約六十里夜微雨

十九日陰氣溫四十六度午七十五度上午八時由哈他土啟行東北行五里過杭錦營盤南（即杭錦王府）白屋三五所帳棚十餘架規模頗狹隘再東北行碎沙匝地陵谷起伏高低萬變十二里至圖賴敖林有小河一道寬僅丈許沿河東北行水聲潺潺泉源當不遠而莫測其所在下午二時暴風雷雨無地可以走避乃出雨裝冒雨前行奈雨勢過急雨裝亦無所用全身浸溼行李亦

幾滲透約一小時許雨稍歇四時至格打拉格烏素尙濛濛未已由溫繙譯員商借蒙古包住宿蒙人名四登世襲台吉銜稍通漢語其父名德佈心吉雅係杭錦旗甲克氣銜梅令章京是日計行程約六十里

二十日晴氣溫四十二度午六十三度上午八時自格打拉格烏素啓行九里爲高茄爾改包納蒙人三五家又六里爲察罕特默圖蒙漢雜居墾地甚多低窪之處時見村落（套內居民皆於低地築屋以避風暴）又十三里至巴羅阿蘇台召過召爲巴羅阿蘇台溝時値雨後涓涓細流僅以不涸溝寬約百餘米達大雨時期雨水滙入北流百餘里入黃河沿溝北行地勢以次漸低兩岸砂山連亘瀕溝低地大半墾種溝底轍迹錯亂載禾牛車往來不絕沿溝行三十五里抵一小村落漢人四家乃就是宿焉房主李姓佃地頃許每畝約收四斗地主得四分之一佃戶得四分之三云是日計行程約七十里

二十一日晴氣溫五十一度午八十四度上七時啓行仍沿巴羅阿蘇台溝北行十三里越溝而東過唐滾梁嶺嶺高於溝約一百八十英尺傾斜甚陡下駝步行始能上又七里橫渡恩格池溝又十一里至包庫頭灘地勢平坦半多墾植又八里至索爾格梁漢人七八家墾地亦多過索爾格梁則陵谷起伏自具邱壑低窪稍平之地間有已墾之小片段然亦寥寥無幾又十三里爲荷蘭溝沿溝北行兩岸飛沙山積又七里有李索兒店在溝東岸低灘上又四里越溝而東沙堆連綿倏高倏下質甚鬆疎陷駝蹄約三四寸行頗費力又六里始出沙堆住五塊兔路有漢人店房一所是日計行程約七十里

二十二日晴氣溫五十二度午七十二度上午七時自五塊兔路啓行向東稍北一望平坦直接河岸地質土沙參半未經墾殖甘草徧地無人採掘十里外甘草漸少蓬蒿滿目又八里有積水駝涉水而過幸不甚深又十四里過永盛

仝至道勞罕欽渡小河一道山水河也水溜寬約十餘米達深三四十生的又十五里過花木多地以大半墾種又二里許有窪地略如河形似係黄河故道過此地已盡闢所種多糜穀之屬粒實肥碩絕少粃稗村落密布漢人居其大半又東經三寡婦營子劉四營子祭汗灘等村沿外大河東行（外大河一名陶子河云係黄河故道）至紅仝灣借蒙人房舍宿焉蒙人名巴圖斯令年六十四歲烏拉東公旗人曾任東公旗梅令之職因年老退而務農貽穀放墾時領地數頃子三人皆習漢語於蒙語反不甚熟悉蓋居此與漢人相習已有年矣是日計行程約七十里

二十三日晴氣溫五十一度午七十二度上午七時由紅仝灣啓行距河漸近土質淤沃十一里至神樹灣已抵河岸南海子尚在神樹灣東十餘里乃沿黄河而東過叚家海子前有水阻繞道四五里始至南海子渡口及渡過黄河已

下午一時矣晚住南海子是日計行程約三十里

前套之地多沙梁山嶺絶少平原石礫縱橫蓬蒿徧野且地面過高不能引水灌漑雖有已墾之地而純係旱地收穫極歉套內蒙人專恃畜牧爲生計所食皆奶餅奶皮酥油羊肉之屬腥羶之氣中人欲嘔惟包頭黄河南岸數十里之間地勢低平漢人聚處村落之間樹木葱鬱尚有內地風味焉

二十四日微雨氣溫六十度午七十度晤警察署員劉燮廷君據謂今年黄水不甚大較之客歲最大水位尚低尺許夫以蘭州水漲九尺駭爲從來未曾有之奇漲而以甯夏五原數十小渠消納於無何有之鄉可見蓄水之計患不爲耳未有爲之而無功也

二十五日雨氣溫五十五度午六十一度

二十六日雨氣溫五十八度午六十一度

二十七日雨氣溫五十六度午五十六度連日陰雨不克成行下午八時乃僱定柳船一隻預備於明早向托城進發

二十八日陰下午晴氣溫五十五度午六十二度上午八時由南海子乘船順流東南行過永來公磨兒上兩岸地質肥腴村落密接河形折向東北又折而東而東南成一大彎曲地名古城灣十一時至三柏樹有小船數隻泊河左岸又經中公渡口下三時至炭廠子渡停船十餘隻左岸積炭甚多蓋出自大青山北過炭廠子右岸地勢甚低高於現時水面者不及一米達築有沿河小堤所以防水也又經金家圪都有小渡口停船五六隻六時半至吳四營子有清源局一時已昏黑舟子連夜進行

二十九日微陰氣溫五十二度午六十九度早八時舟至黃土崖子十時至依肯圐圙右岸沙梁距河不及一里與河略成平行綫又經二道拐至二道拐右

岸沙逼粱仄河身河寬不及二百米達河中之險要也下午四時至河口大黑河入黃之口也距托城尚有五里測黃河斷面未竣晚住河口鎮河口鎮托縣之大鎮也適當大黑河入黃河之處甘草船及各種貨船自黃河來者多於此下椗帆檣林立以數百計河口街長四五里商店百餘家甘草莊居其大半套地所出之甘草以此爲會萃之所每歲八九月間有甘草市爲河口商務繁盛之時其他商業不及包頭近聞包頭亦將立甘草市河口紳商恐利權被奪公推代表正與交涉云

三十日晴氣溫五十八度午六十六度上六時補測黃河斷面河寬六百五十四米達最深處三·四米達流量每抄一〇九七·一立方米達八時測竣九時半僱車由河口啓行五里至托城穿城而過行數里臨黑河有積水湖廣一里許長約十餘里疑即所謂沙陵湖者又三十里過小井濠至關四窰子打尖

又行經韮菜灘自韮菜灘以南荒墾各半以北至什兒登一段地平如砥絕少荒地晚住什兒登約行七十里夜微雨

十月一日晴下午陰氣溫五十六度午七十二度六時由什兒登啓行過三兩村大村也居民三百餘家又行經噶察布一小河石橋通焉河寬二十三米達水面十二米達又行至渾津橋打尖下四時至歸化約行九十里

二日陰赴綏遠城都統署接洽僱用車輛及護送隊接替等事並晤喻振遠君聞綏遠區域將於後山增設稒陽縣治立有固陽設置局以王濟若爲該局總辦仍兼西盟墾務局本職至晚八時雨徹夜未止

三日早七時雨稍霽氣溫五十七度由歸化啓行轍中積潦深幾沒轂出歸化遙見積雪皚皚蓋低地降雨而高處則皆雪也過淘不氣至㘓圖上打尖飛雪時落時止自㘓圖上以東漸入山谷氣候亦漸寒晚住二十家子氣溫三十六

度

四日陰氣溫三十五度午四十六度早六時自二十家子啟行十一時至代州䆛子打尖天雨雪余等冒雪而行晚住敞罕不浪

五日陰氣溫三十一度早七時啟行積雪數寸平舖陵谷間恍若水銀世界轍迹結冰晡後始消二十五里至小壩子過最高處車行震盪向所視爲畏途者雖不由此而不可得也又二十里至蘇集打尖晚至壩底宿焉氣溫四十三度

六日雨不克成行氣溫四十一度午五十二度

七日陰氣溫五十一度上六時半由壩底啟行四十里至馬王廟打尖又四十里至豐鎮下四時氣溫五十六度

八日晴氣溫四十三度午五十七度是日爲舊歷中秋節住豐鎮一日

九日晴早氣溫四十二度上五時由豐鎮搭車過大同聚樂堡張家口靑龍橋

下四時至南口氣溫升至八十二度六時至北京

寧夏墾地圖

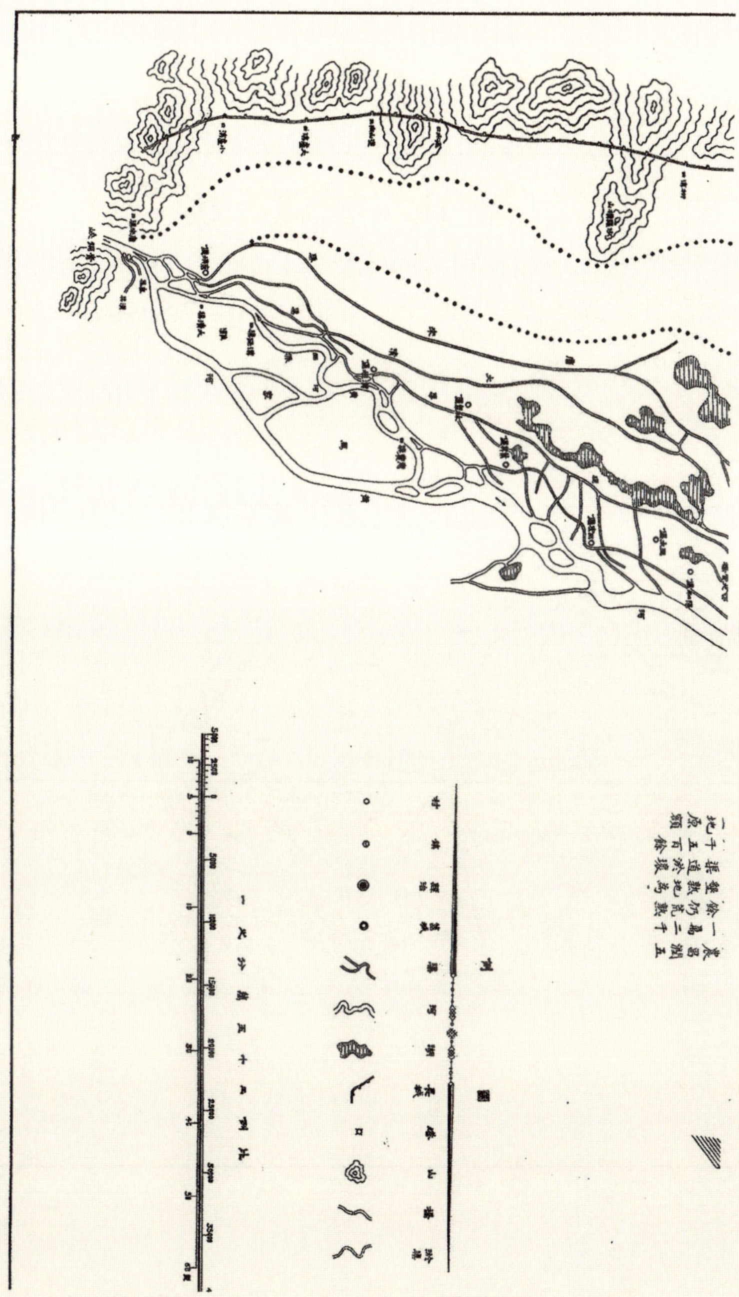

後套墾地圖
五原城基地係達旂報効之地計五百四十頃已陸續丈放尚存有二十號用沙河渠水流灌
烏旂粮地 係烏拉特西公旂所報之地在什拉胡魯蘇及紅門圖兩地接壤計放一千七百三十二頃用義和渠水澆灌近年渠水不旺荒廢逼半
四成補地 係達旂因教案賠款無力籌措將包頭附近之四成地二千頃交公家放墾代為賠償復勘丈不足數又於後套補地一段收四四成補地計丈放一千四百二十頃用老郭長勝塔布三渠水澆灌四成補地係粮地
查後套杭達烏三旂共放地九千七百九頃尚有四萬餘頃膏腴之地以待擴充

頃已陸續丈放
尚存有二十餘
用沙河渠水流
灌
達拉特旗報墾
達旗永租地
初與公家定約只可招戶
永租不肯放失地權故名
永租地即永租不放之意
但地內得任便開渠渠至
何處地即墾至何處從前
曾墾過四千頃籐因暴水
不數流灌墾地漸少及民
國元年改定為二千頃用
八大幹渠水流灌
五原縣墾地
杭錦旗糧地在
中東兩已喝計
放過四千十八
頃用小幹渠水
流灌
壹
地
教
口
地
粮
祖
永
旗
口
圖例
古墳
縣治
鎮
村
盟旗界
沙地
查後套杭達烏三旗共放地
九千七百九頃尚有四萬餘
頃膏腴之地以待擴充

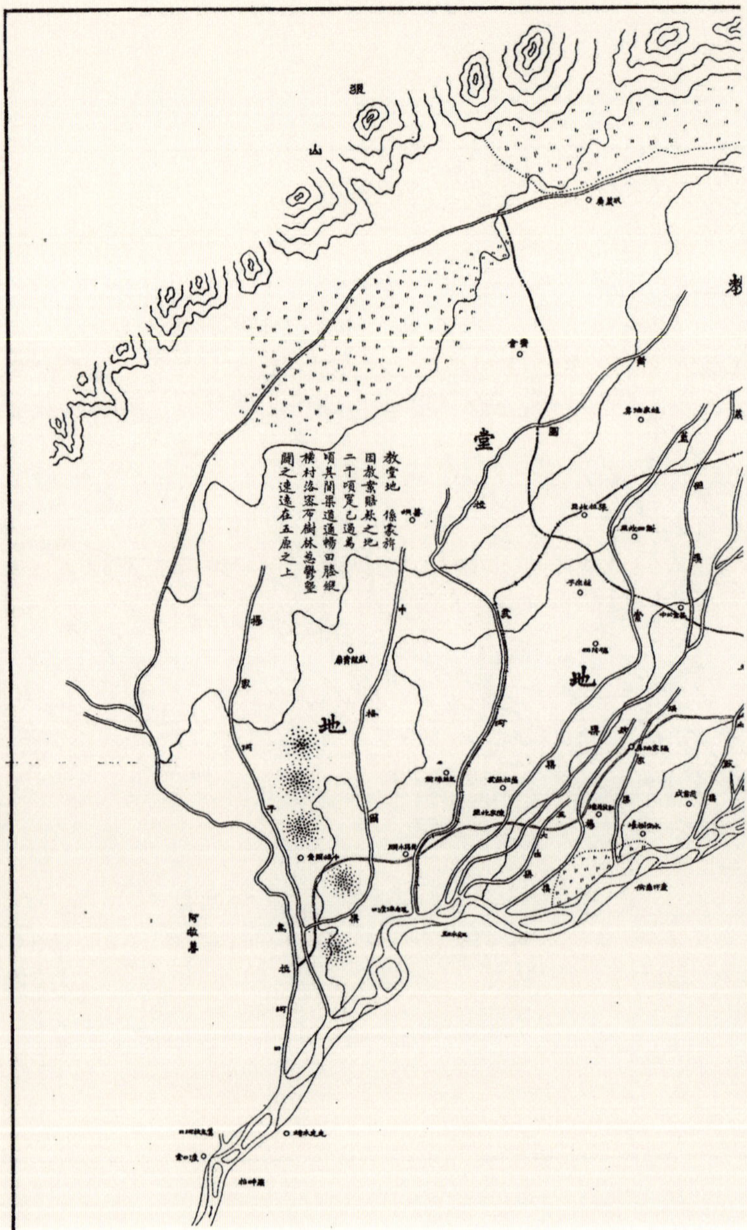
教堂地　係蒙旗
因教案賠款之地
二千頃寬已逾萬
頃其間渠道通暢田塍縱
横村落密布樹林蔥鬱豐
閬之速遠在五原之上
山
堂
地
地

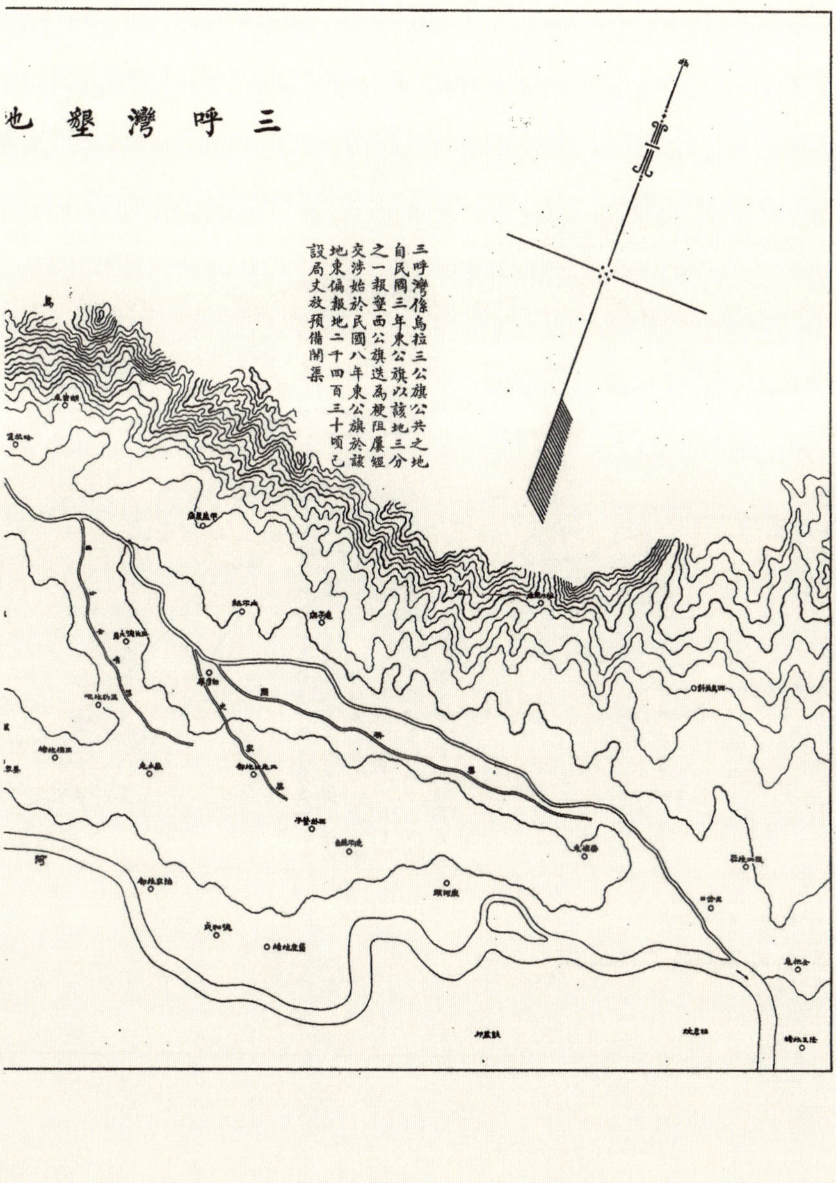
三呼灣墾地
三呼灣係烏拉三公旗公共之地自民國三年東公旗以該地三分之一報墾西公旗遂爲梗阻屢經交涉始於民國八年東公旗於該地東偏報地二千四百三十頃已設局丈放預備開渠

墾地圖

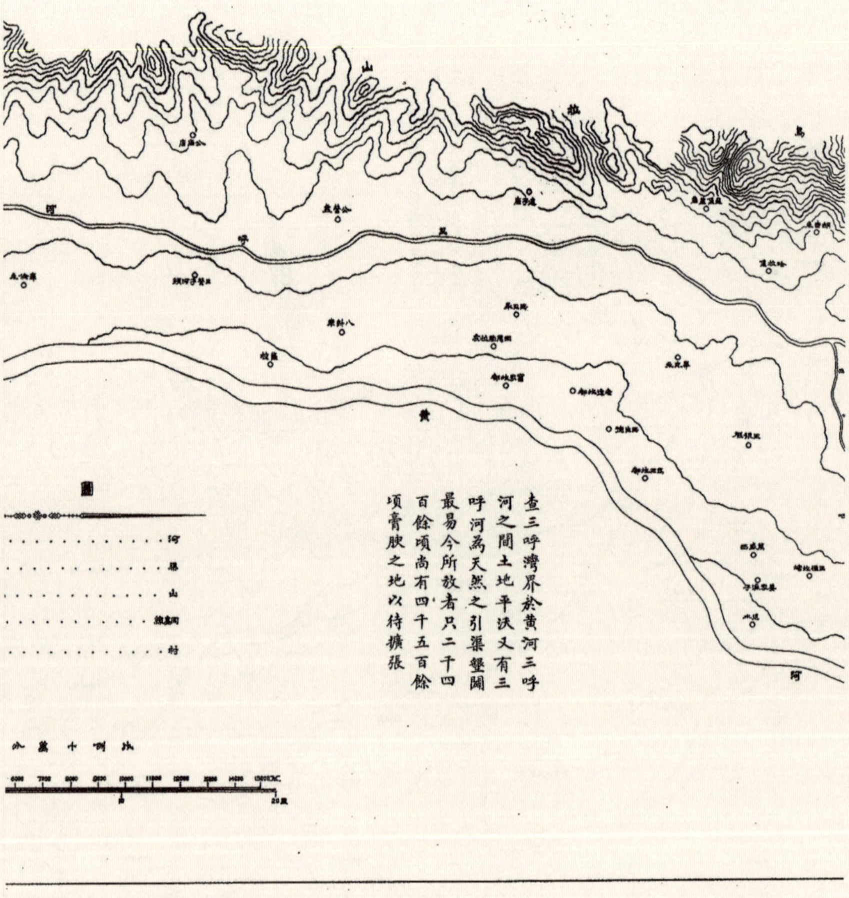
查三呼灣界於黃河三呼河之間土地平沃又有三呼河爲天然之引渠墾闢最易今所放者只二千四百餘頃尚有四千五百餘頃膏腴之地以待擴張
比例十萬分一

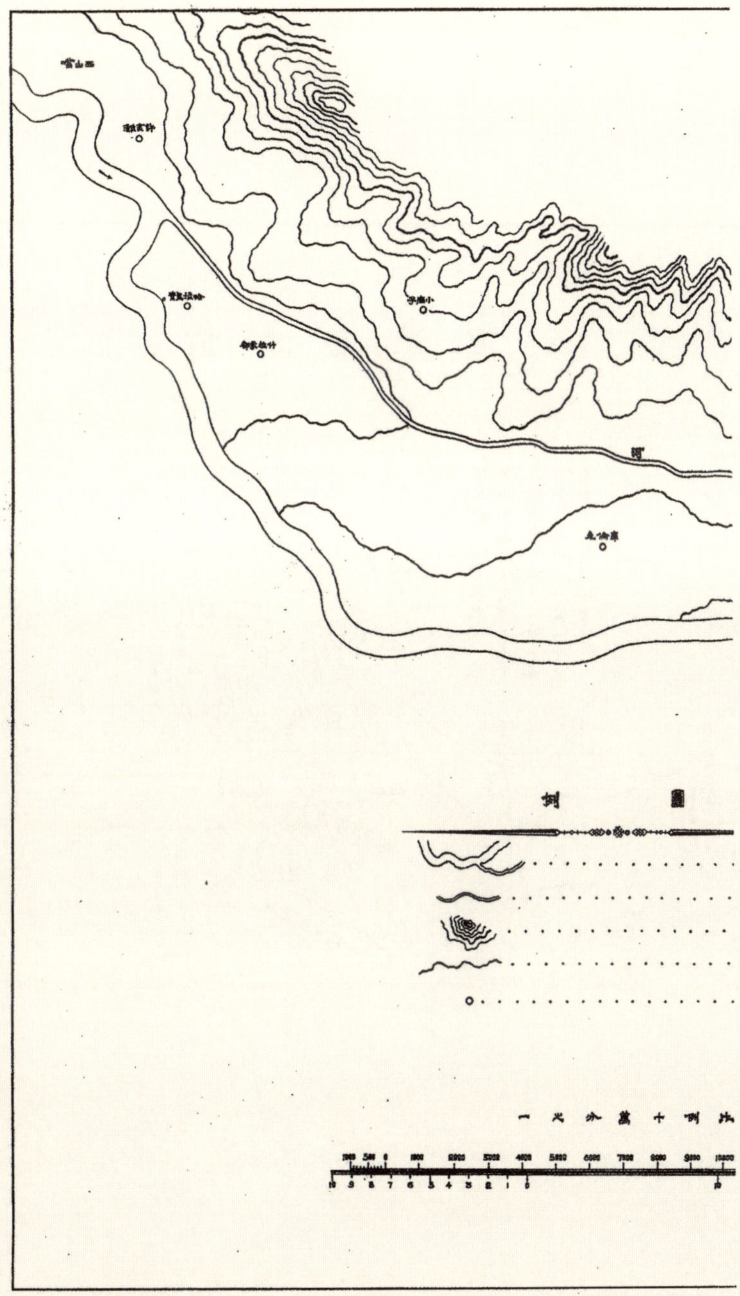
西山嘴
小廟子
河
圖例
比例十萬分之一

前套墾地圖

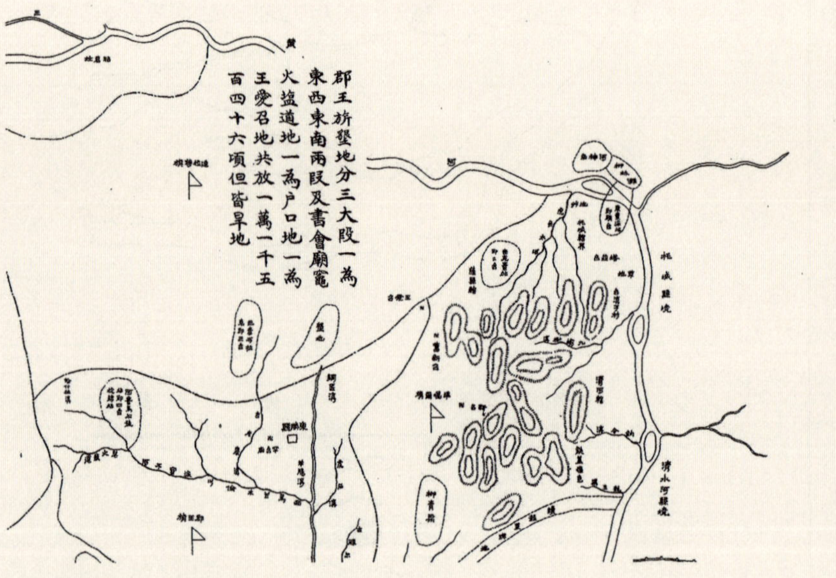
郡王旂墾地分三大段一為東西東南兩段及書會廟竈火盤道地一為戶口地一為王愛召地共放一萬一千五百四十六頃但皆旱地
托克托縣境
清水河縣境

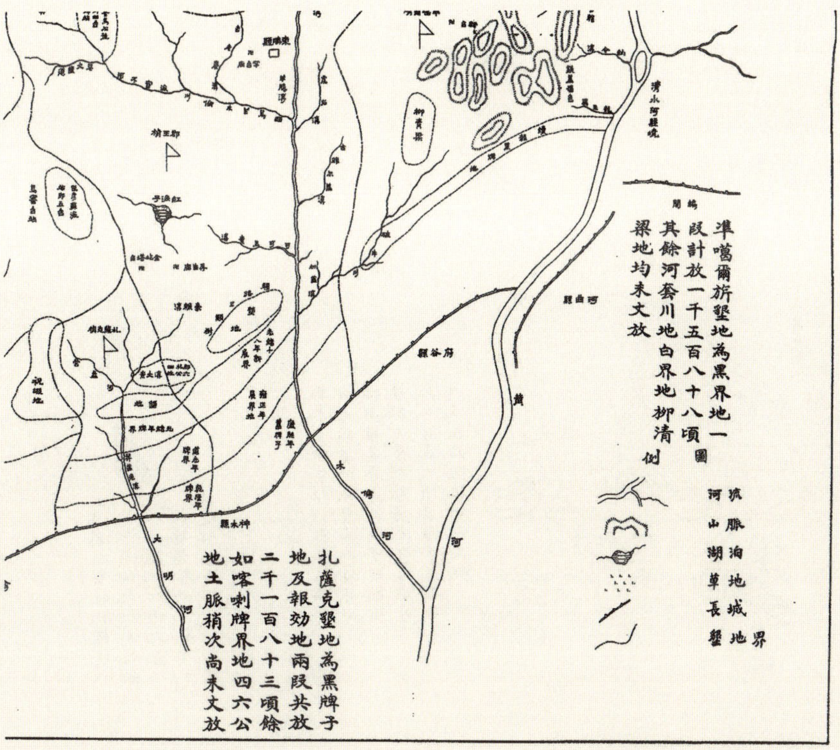
清水河縣境
河曲縣
府谷縣
神木縣
準噶爾旂墾地為黑界地一段計放一千五百八十八頃其餘河套川地白界地柳清梁地均未文放
扎薩克墾地為黑牌子地及報效地兩段共放二千一百八十三頃餘如喀喇牌界地四六公地土脈稍次尚未文放
圖例
河流
山脈
湖泊
草地
長城
墾地界

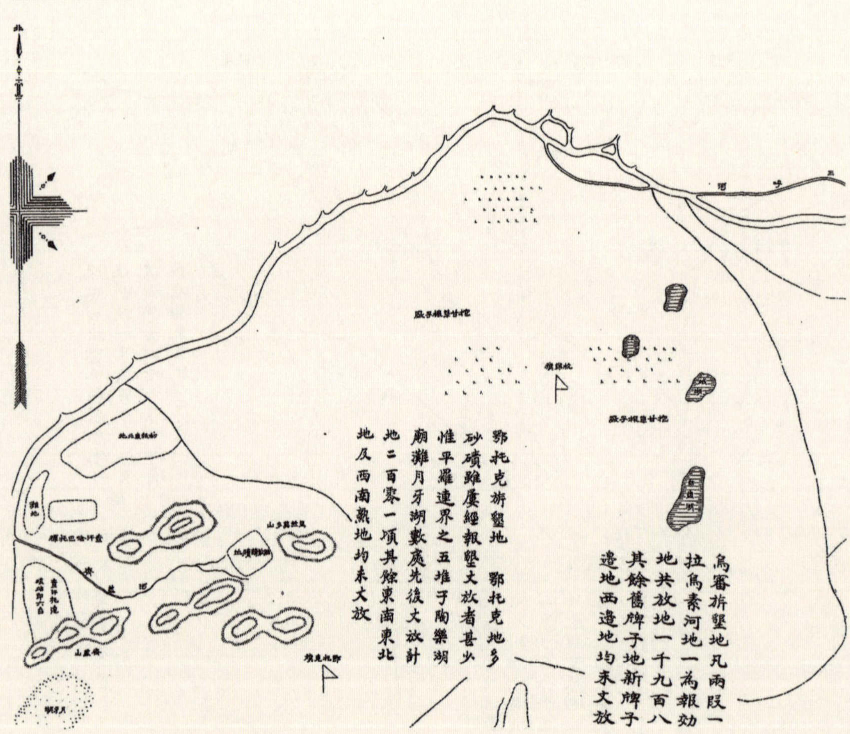
鄂托克旂墾地
鄂托克地多砂磧雖屢經報墾丈放者甚少惟平羅連界之五堆子陶樂湖廟灘月牙湖數處先後丈放計地二百零一頃其餘東南東北地及西南熟地均未丈放
烏審旂墾地凡兩段一拉烏素河地一為報効地共放地一千九百八其餘舊牌子地新牌子邊地西邊地均未丈放

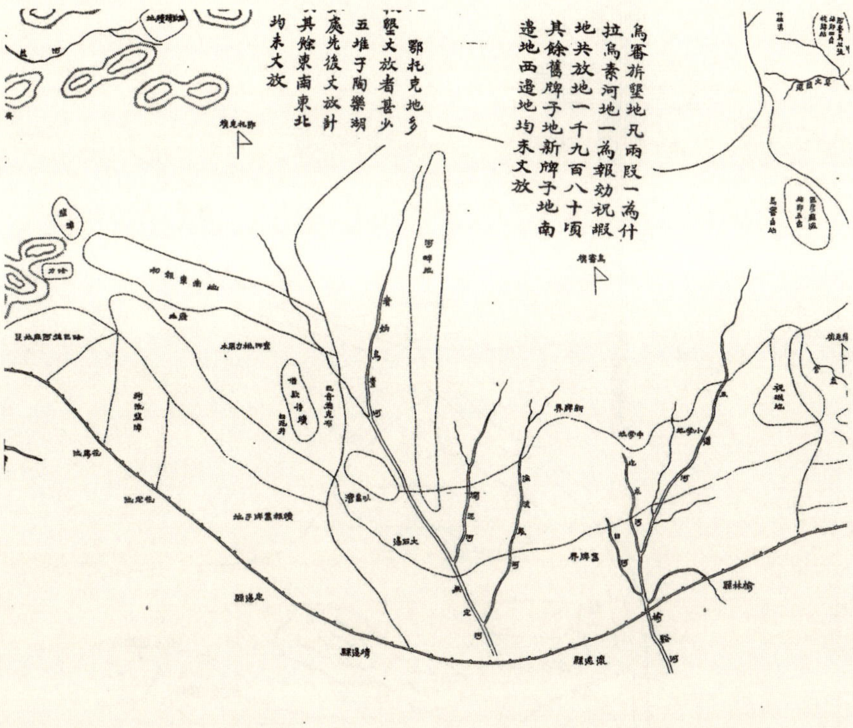
烏審旂墾地凡兩段一為什
拉烏素河地一為報効祝嘏
地共放地一千九百八十頃
其餘舊牌子地新牌子地南
邊地西邊地均未文放
鄂托克地多
墾文放者甚少
五堆子陶樂湖
處先後文放計
其餘東南東北
均未文放

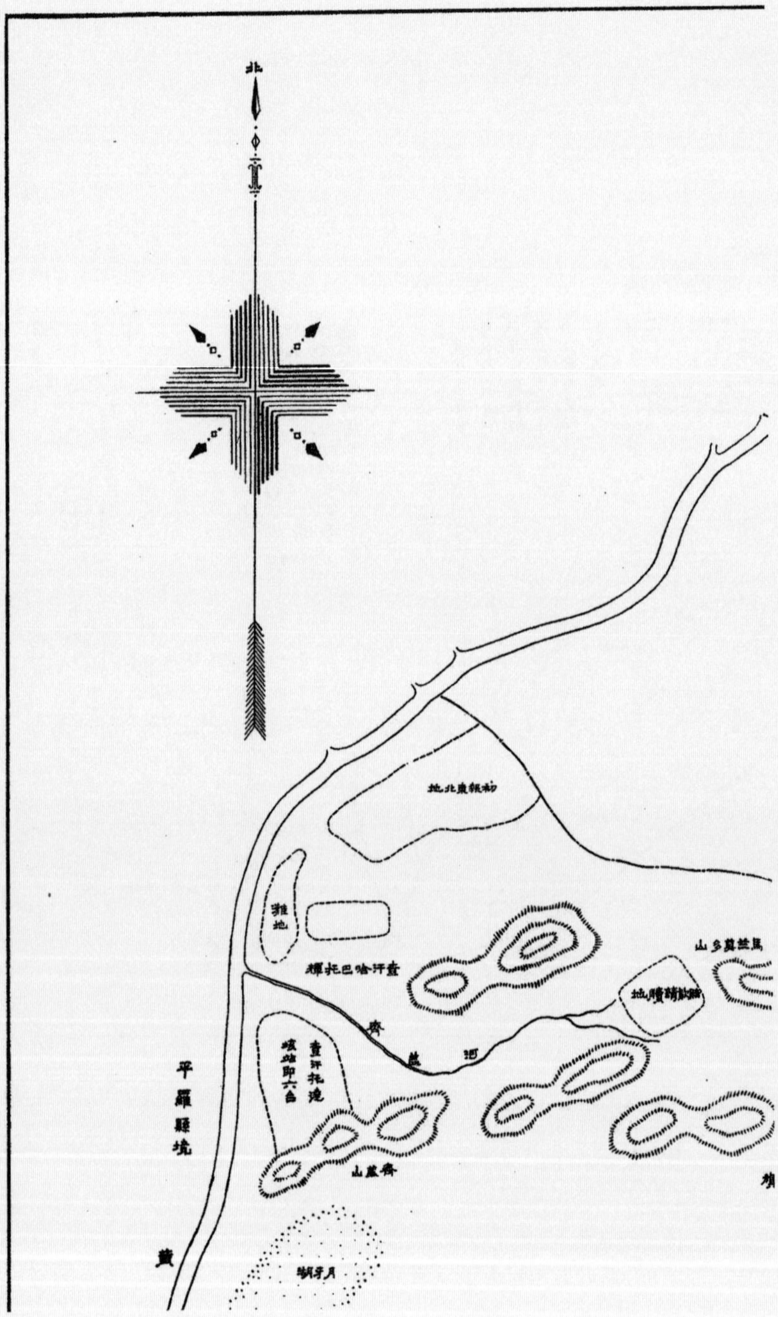
北
査汗哈巴托輝
平羅縣境
黃
月牙湖

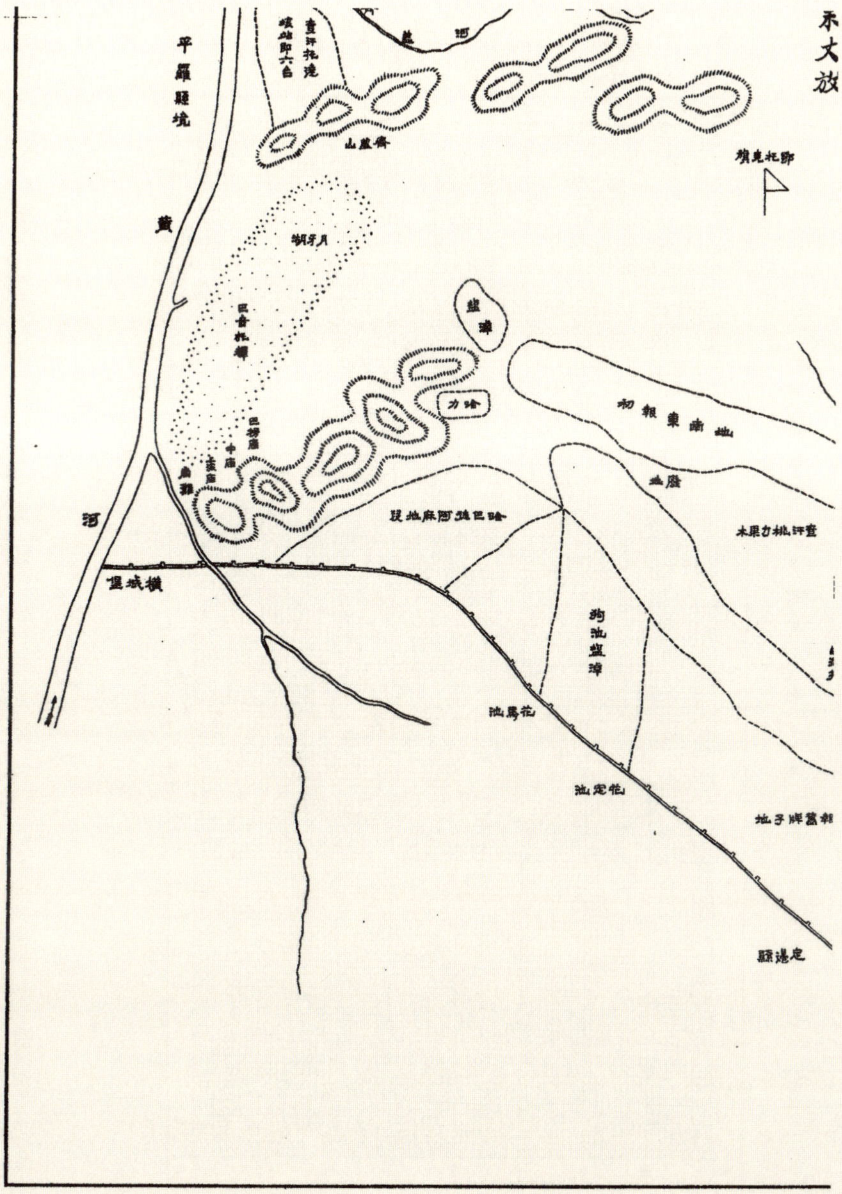
平羅縣境
黃
河
橫城堡
花馬池
定邊縣

南海子黃河逐日流量曲線圖表

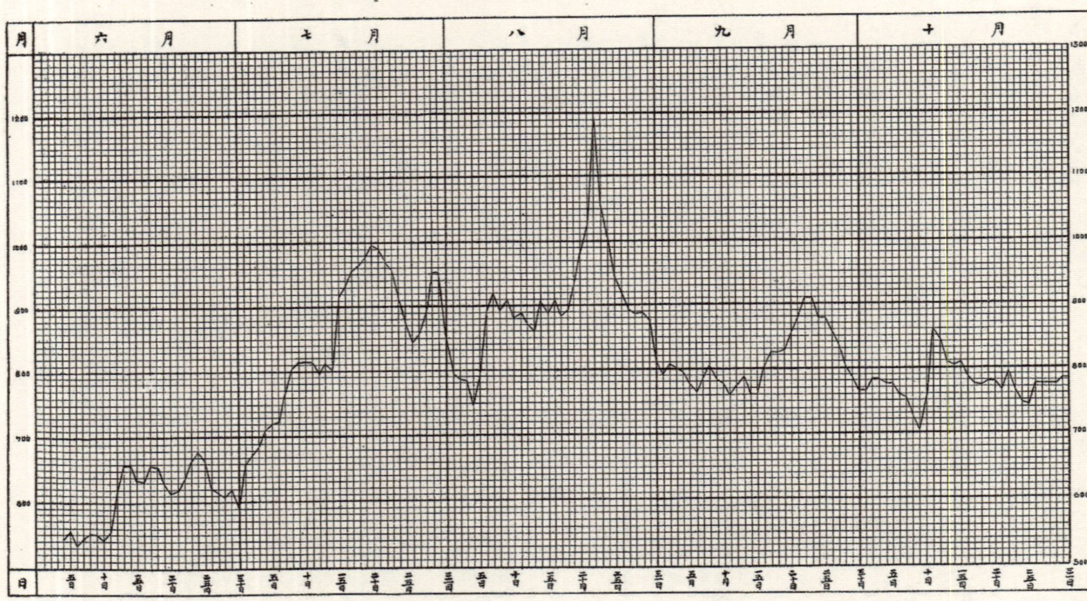

備考

一 每日流量均以立方公尺為單位表中每一小方格代十立方公尺底線即從五百立方公尺起算

一 表中流量以八月二十二日為最大六月六日為最小大小比較有五百五十九立方公尺之差數

一 每日流量均係一秒時之數

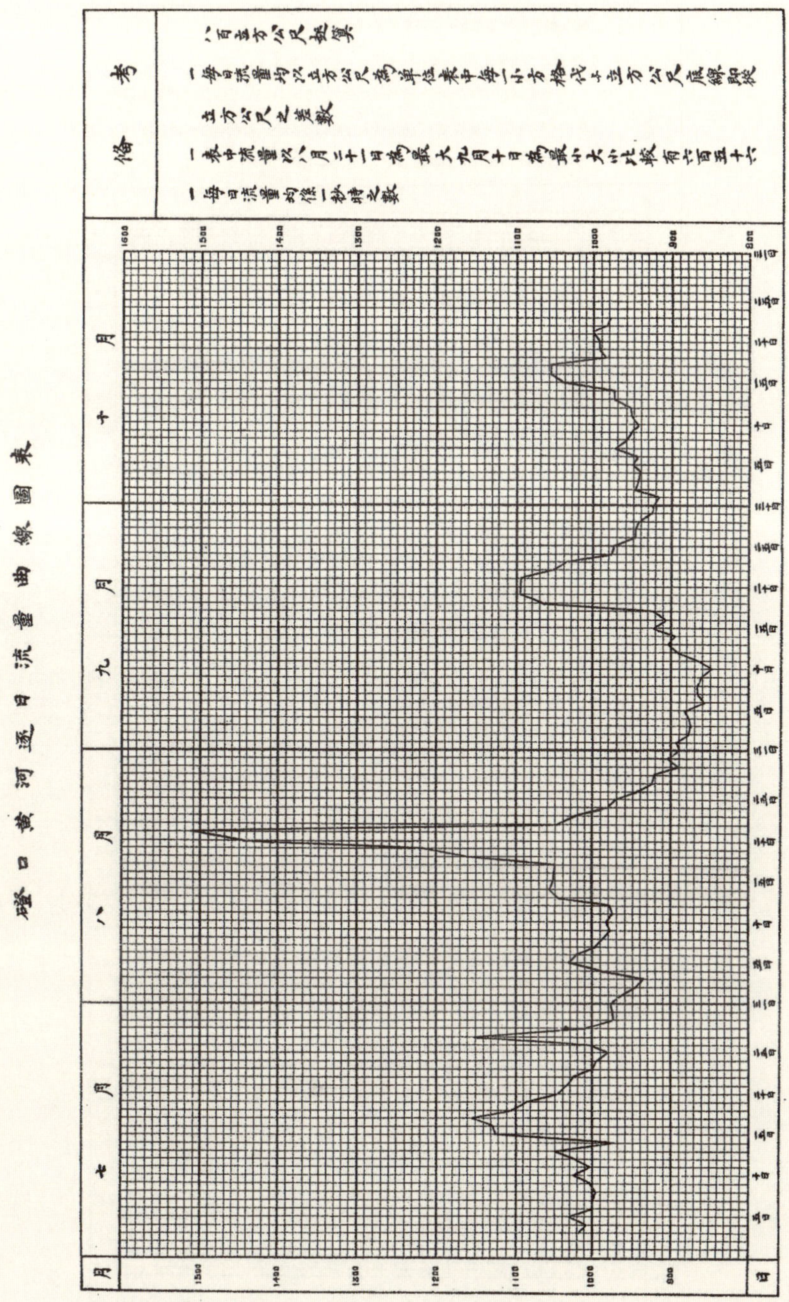
磴口黄河逐日流量曲線圖表
備考
一 每日流量均係一秒時之數
一 表中流量以八月二十一日爲最大九月十日爲最小大小比較有六百五十六立方公尺之差數
一 每日流量均以立方公尺爲單位表中每一小方格代十立方公尺底線即從八百立方公尺起算
月
七月
八月
九月
十月
日
1500
1400
1300
1200
1100
1000
900
800

南海子黃河邊口水面漲落曲線圖表

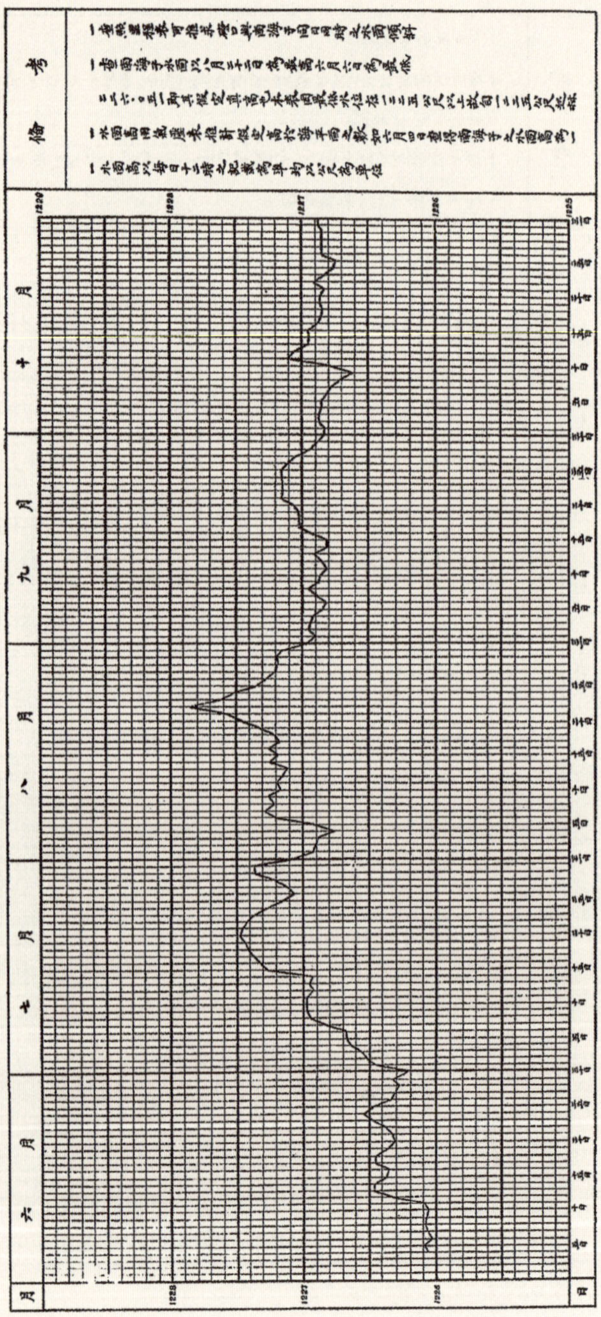

磴口黃河逐日水面漲落曲綫圖表

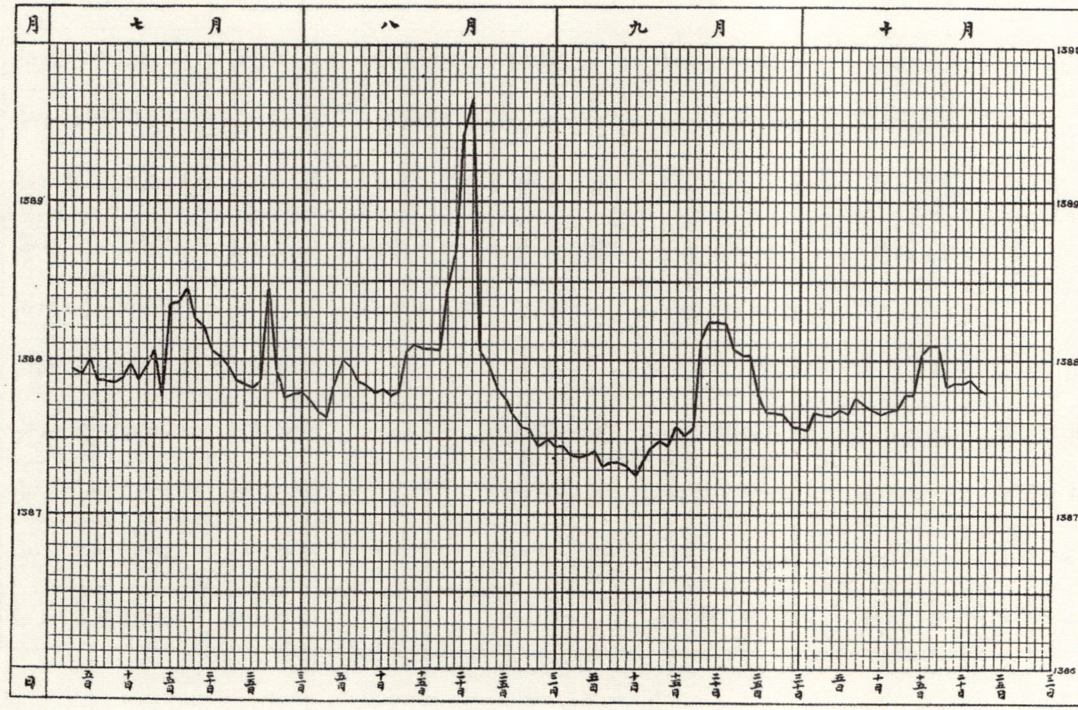

備考

一查照里程表可推求磴口與南海子同日同時之水面傾斜

一查磴口水面以八月二十一日為最高九月十日為最低

一水面高用氣壓表推算假定高于海平面之數如七月三日查得磴口之水面高為一三八七九四九即其假定之真高也本表因最低水位在一三八六公尺以上故從一三八六公尺起稱

一水面高以每日十二時之記載為準均以公尺為單位

黄河各級流量表

地點	水位	水面相應於量水標	同時河深度	流量
石嘴子	最高		六·五〇米	一九九四·五三立米
	次高		五·四五米	一五三二·一九立米
	中等		四·六〇米	一二八二·一七立米
	次低		三·八〇米	八六三·五三立米
	最低		三·一〇米	六一〇·五八立米
南海子	最高	二·九〇米	五·七六米	一六三六·八七立米
	次高	二·六四米	五·五〇米	一二九三·七八立米
	中等	二·〇四米	四·九〇米	九〇九·八五立米
	次低	一·六〇米	四·四六米	七六〇·三八立米
	最低	〇·八一米	三·六七米	五三四·一四立米
磴口鎮	最高	三·九八米	一〇·五六米	一九五八·二三立米
	次高	二·七〇米	九·二八米	一五〇六·〇五立米
	中等	一·五二米	八·一〇米	一二五三·三五立米
	次低	〇·三五米	六·九三米	八四九·三七立米
	最低	負〇·七〇米	五·八八米	六〇五·九〇立米
河口鎮	最高		五·四〇米	一六二三·六四立米
	次高		四·四四米	一二九九·六四立米
	中等		三·七〇米	九〇八·二一立米
	次低		三·三一米	七五九·三五立米
	最低		二·七〇米	五三一·四九立米

黄河各處含沙成分表

地點	月	日	沙與水合重	沙之重量	沙之成分	備考
南海子	六	四	二·〇	〇·〇二八	萬分之八八	一重量均以斤數為單位 故其成分較他處為大 一查表中七月十三日取驗灵沙堡渡口係在迴溜處
乌　灣		五	二·〇	〇·〇一〇	萬分之三一	
義和渠口		十一	二·五	〇·〇一八	萬分之四五	
强家渠口		二九	二·五	〇·〇二九	萬分之七三	
纏金渠口		三十	二·五	〇·〇二〇	萬分之五〇	
磴　口	七	四	二·五	〇·〇二九	萬分之七三	
牛家濟		六	二·五	〇·〇二八	萬分之七〇	
灵沙堡渡口		十三	二·五	〇·二七四	萬分之六八五	
青銅峽		十四	二·五	〇·〇二二	萬分之五五	

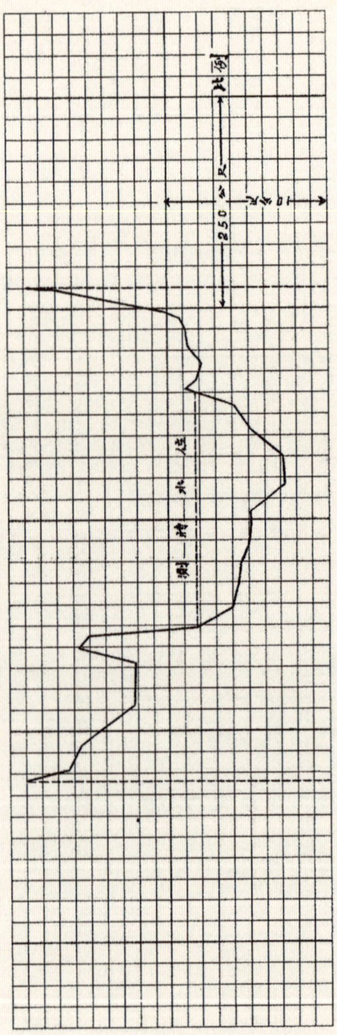

青銅峽橫斷面圖

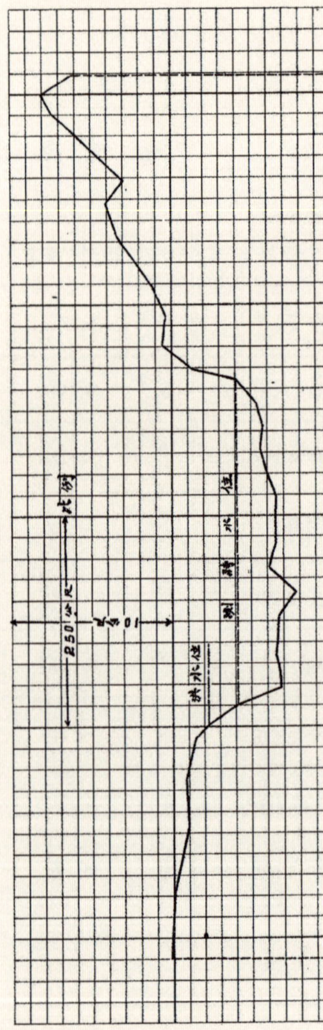

石嘴山橫斷面圖

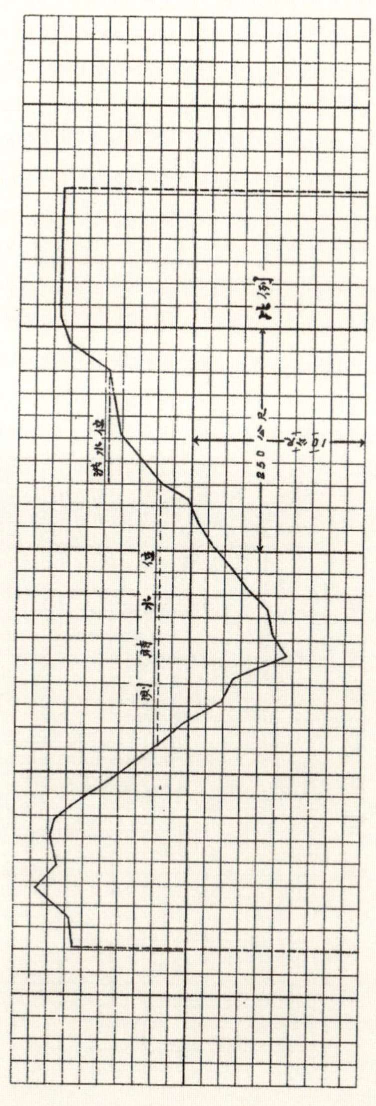

磴口橫斷面圖

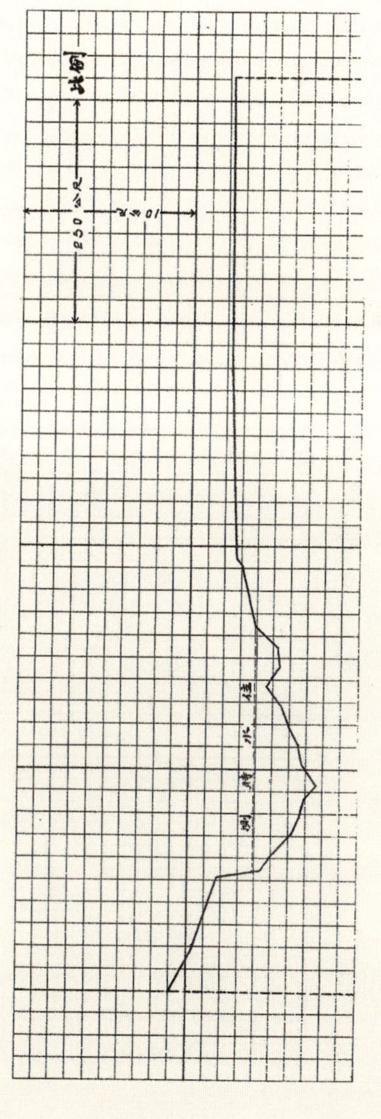

南海子橫斷面圖

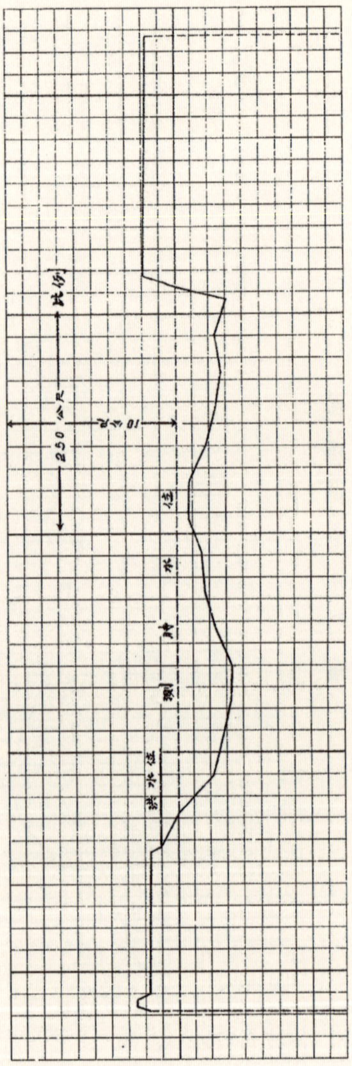

托城河口鎮橫斷面圖

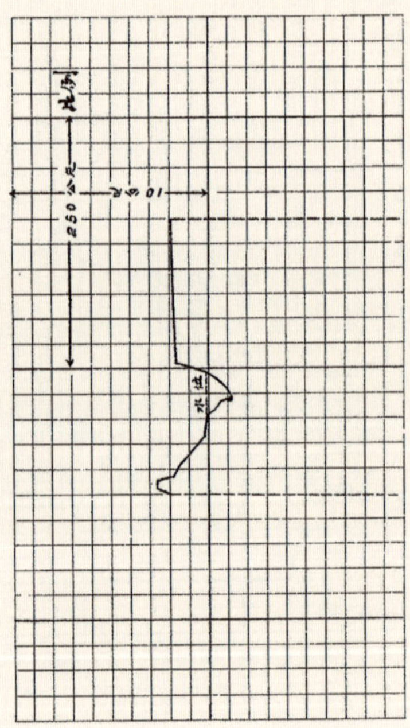

大黑河口橫斷面圖

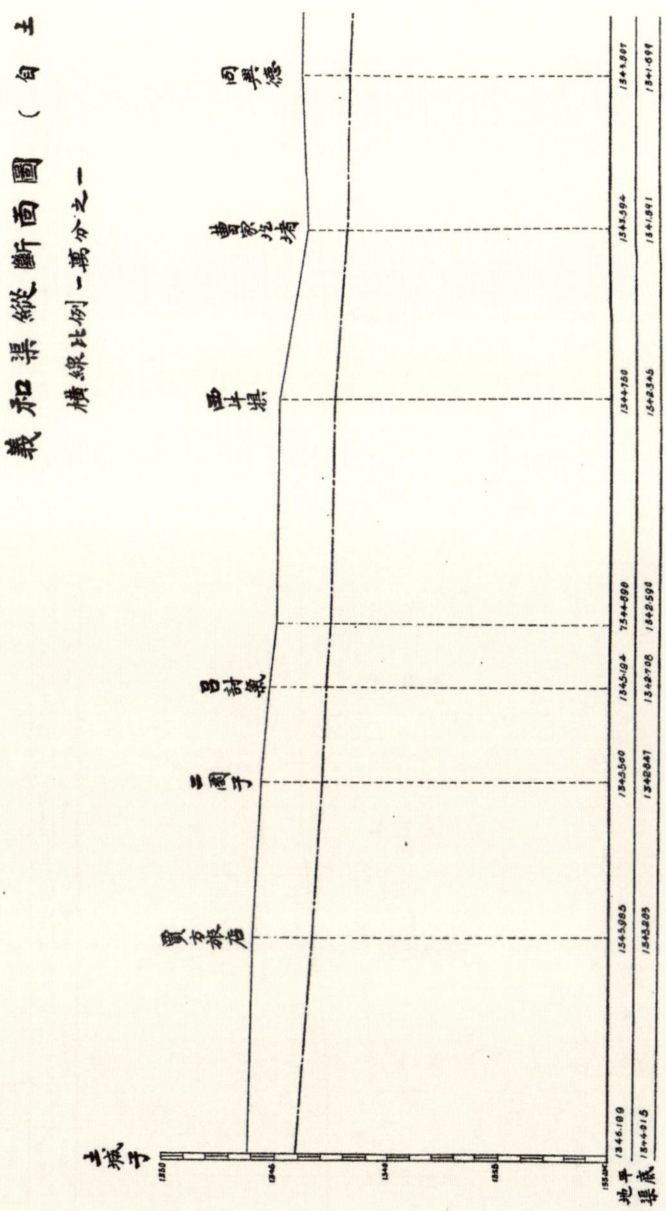
義和渠縱斷面圖
橫線比例一萬分之一

土城子至東壩頭）

垂線比例二百分之一

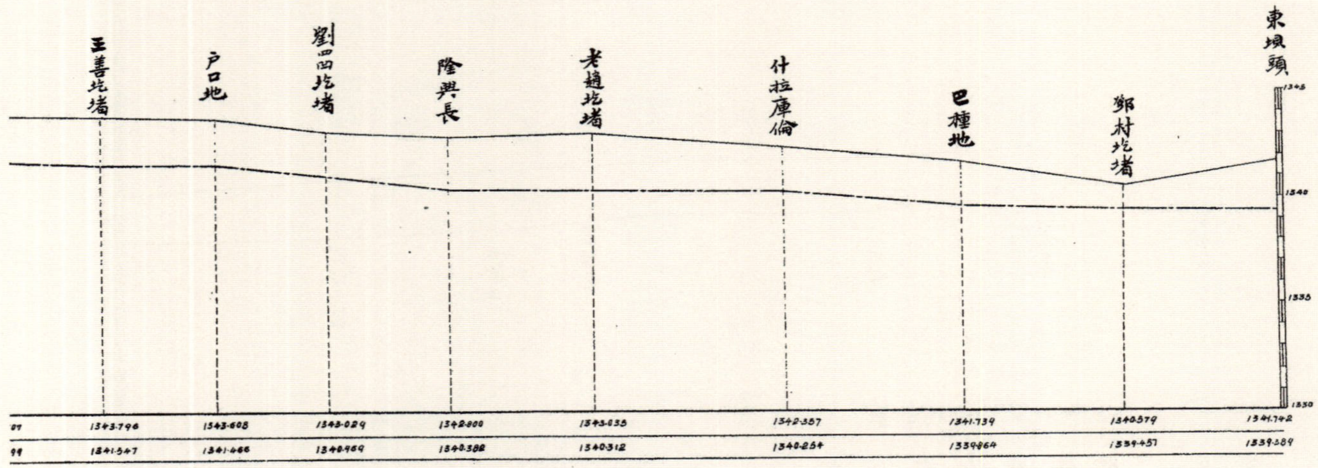

隆興長義和渠逐日水面漲落曲線圖

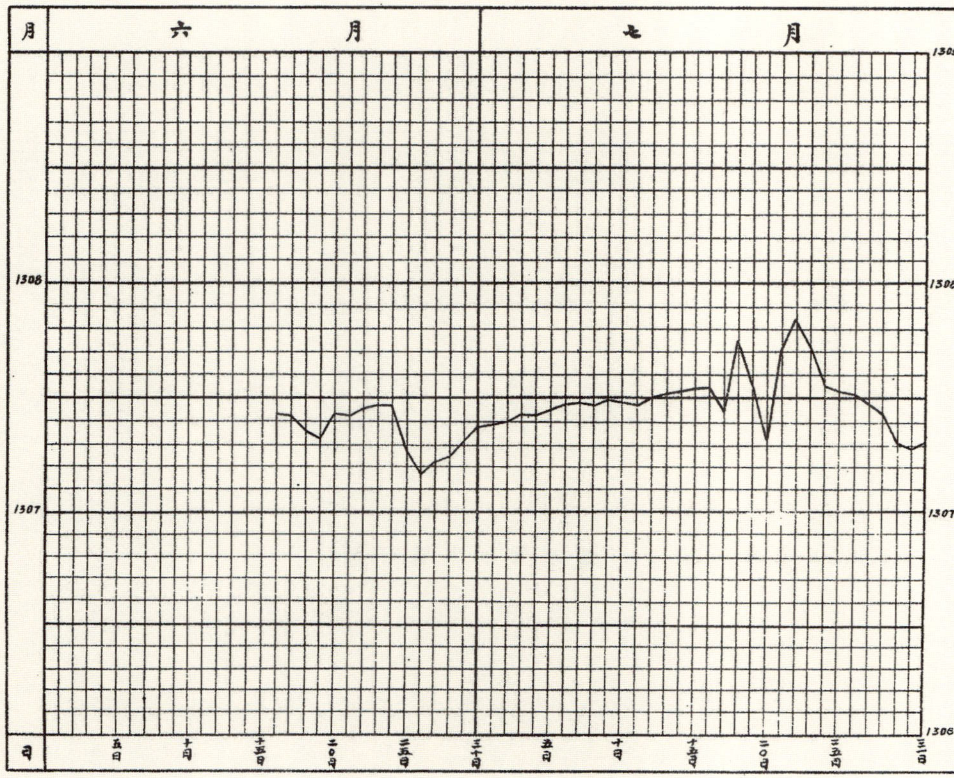

備考

一水面高以每日十二時之記載為準均以公尺為單位

一水面高因係氣壓表推計假定高于海平面之數如六月十六日查得水面高為一三〇七·四三〇即其假定真高也本表因最低水位在一三〇六公尺以上故自一三〇六公尺起繪

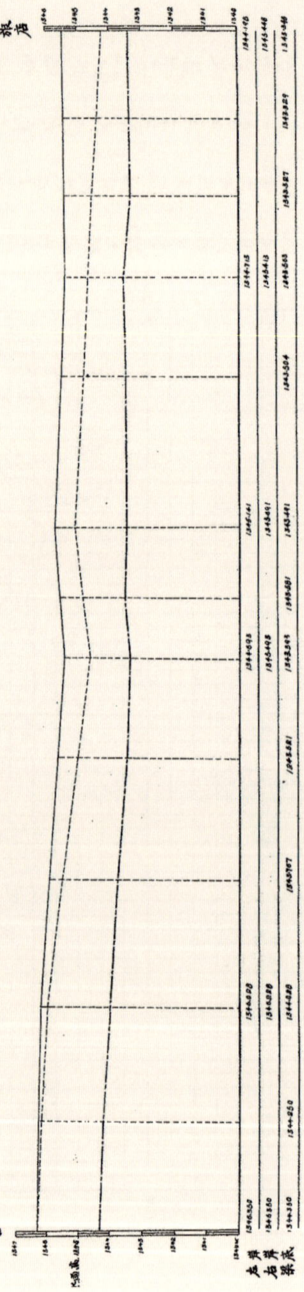

老郭渠縱斷面略圖（自渠口至賈方旅店）

縱綫 1:1000　垂綫 1:100

唐來渠寧夏西門外橋上游横斷面圖

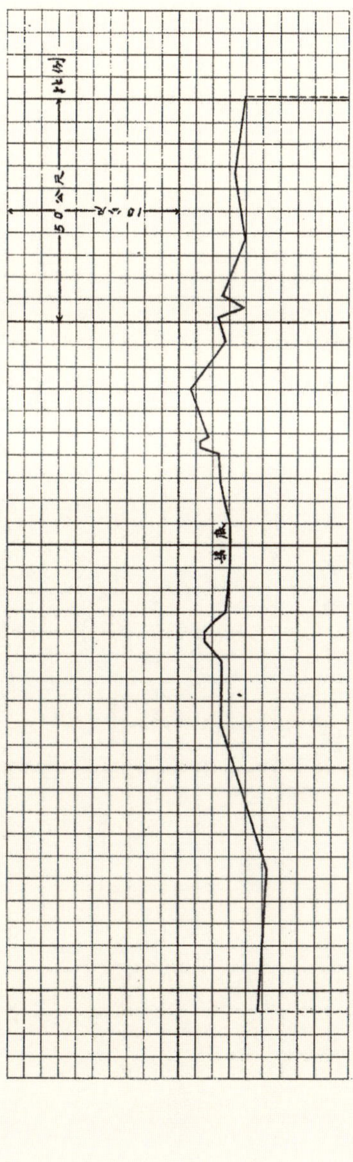

唐來渠寧夏西門外橋下游横斷面圖

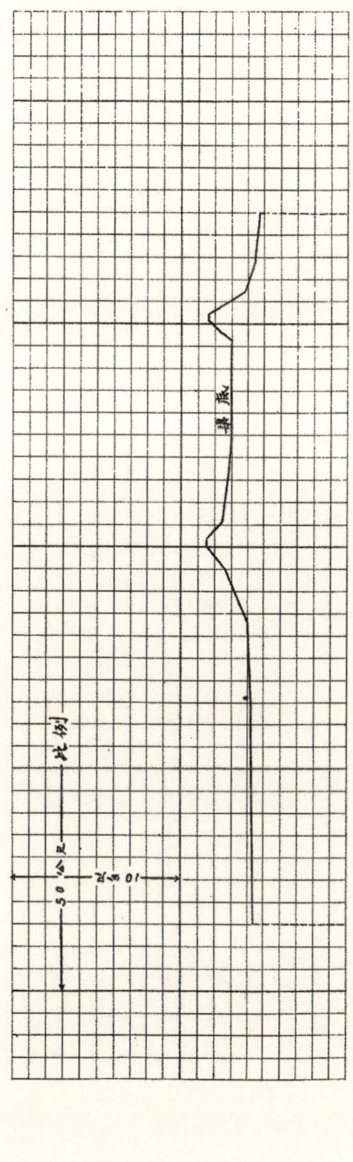

大垻堡唐來渠正閘下游横斷面圖

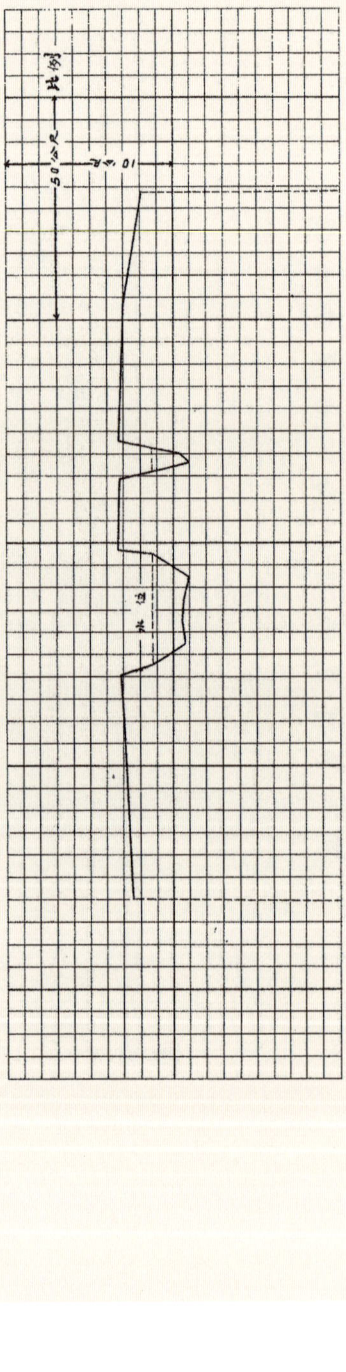

清水堡惠農渠横斷面圖

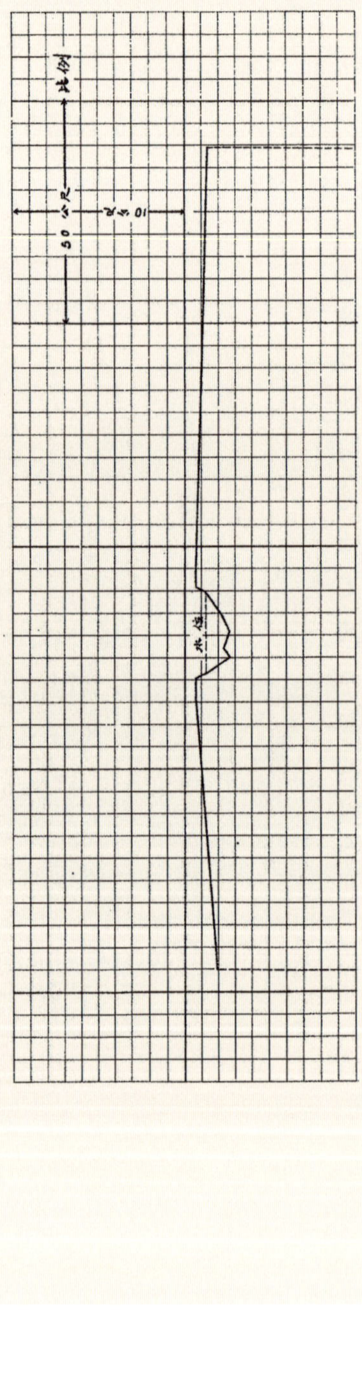

漢延渠正閘下游橫斷面圖

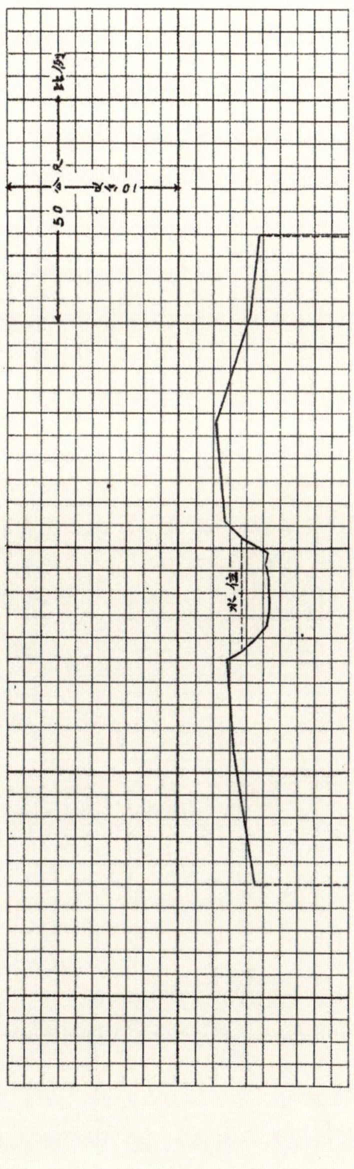

漢延渠大官橋下游橫斷面圖

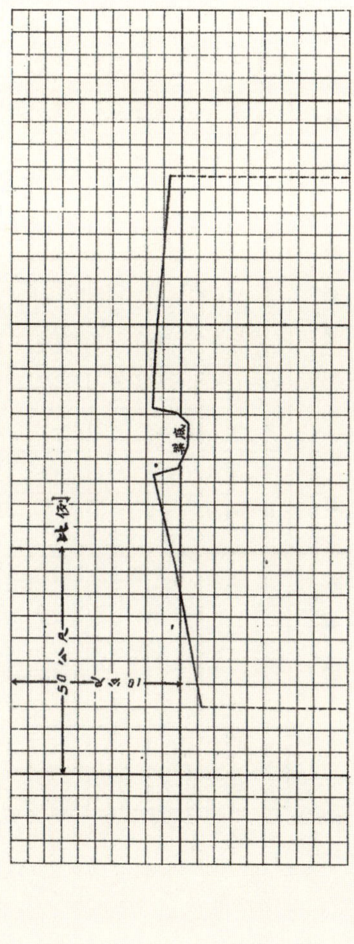

綏遠觀測所歷年氣溫最高最低比較表

年	月	日	氣溫 上六時	氣溫 下二時	比較差	年	月	日	氣溫 上六時	氣溫 下二時	比較差	年	月	日	氣溫 上六時	氣溫 下二時	比較差
5	1	1	-15.0°	-1.5°	13.5°	6	1	1	-23.0°	-12.0°	11.0°	7	1	1	-18.0°	-11.0°	7.0°
		11	-25.0°	-11.0°	14.0°			11	-19.5°	-6.0°	13.5°			11	-13.0°	-8.0°	5.0°
		21	-17.0°	-13.0°	4.0°			21	-23.0°	-10.0	13.0°			21	-13.0°	-5.5°	7.5°
	2	1	-12.0°	0.0°	12.0°		2	1	-17.5°	-1.7°	16.5°		2	1	-11.0°	0.0°	11.0°
		11	-16.0°	-5.0°	11.0°			11	-19.5°	-10.5°	9.0°			11	-18.0°	-6.0°	12.0°
		21	-6.0°	-3.0°	3.0°			21	-7.0°	5.0°	12.0°			21	-16.0°	-6.0°	10.0°
	3	1	-14.5°	-2.0°	12.5°		3	1	-16.5°	-6.0°	10.5°		3	1	-9.0°	-1.0°	8.0°
		11	-3.0°	0.0°	3.0°			11	-5.5°	4.0°	9.5°			11	-7.0°	3.0°	10.0°
		21	-3.5°	3.0°	6.5°			21	1.0°	7.0°	6.0°			21	3.0°	13.0°	10.0°
	4	1	-2.0°	6.5°	8.5°		4	1	5.0°	14.4°	9.4°		4	1	0.0°	11.1°	11.1°
		11	3.0°	12.0°	9.0°			11	4.0°	14.7°	10.7°			11	1.0°	10.8°	9.8°
		21	7.5°	15.0°	7.5°			21	6.0°	17.0°	11.0°			21	7.0°	17.1°	10.1°
	5	1	8.0°	11.5°	3.5°		5	1	4.3°	12.4°	8.1°		5	1	9.2°	15.0°	5.8°
		11	14.0°	25.0°	11.0°			11	6.0°	14.6°	8.6°			11	5.0°	9.7°	4.7°
		21	12.0°	19.5°	7.5°			21	11.0°	21.6°	10.6°			21	12.5°	20.9°	8.4°
	6	1	17.0°	26.5°	9.5°		6	1	17.0°	24.5°	7.5°		6	1	9.5°	14.5°	5.0°
		11	21.0°	20.5°	0.5°			11	21.5°	28.5°	7.0°			11	15.5°	23.2°	7.7°
		21	13.0°	20.0°	7.0°			21	19.0°	26.2°	7.2°			21	17.0°	22.5	5.5°
	7	1	13.0°	24.0°	11.0°		7	1	24.0°	30.4°	6.4°		7	1	18.0°	23.4°	5.4°
		11	21.0°	28.5°	8.5°			11	20.0°	25.5°	5.5°			11	21.0°	28.5°	7.5°
		21	20.0°	28.5°	8.5°			21	16.0°	19.6°	3.6°			21	21.4°	27.0°	5.6°
	8	1	17.5°	24.5°	7.0°		8	1	20.5°	24.0°	3.5°		8	1	72.0°	7.00°	2.0°
		11	23.5°	29.0°	5.5°			11	23.0°	26.0°	3.0°			11	19.0°	21.5°	2.5°
		21	15.5°	24.1°	8.6°			21	20.0°	26.1	6.1°			21	21.5°	28.0°	6.5°
	9	1	14.0°	21.7°	7.7°		9	1	18.5°	21.3°	2.8°		9	1	16.0°	24.0°	8.0°
		11	11.0°	18.0°	7.0°			11	11.0°	17.6°	6.6°			11	9.0°	16.0°	7.0°
		21	8.7°	13.0°	4.3°			21	9.0°	17.7°	8.7°			21	11.0°	20.0°	9.0°
	10	1	8.0°	14.2°	6.2°		10	1	10.0°	17.3°	7.3°		10	1	7.0°	17.0°	10.0°
		11	8.5°	16.2°	7.7°			11	4.0°	10.8°	6.8°			11	3.0°	14.0°	11.0°
		21	4.3°	12.4°	8.1°			21	6.0°	10.8°	4.8°			21	1.0°	11.0°	10.0°
	11	1	3.0°	9.4°	6.4°		11	1	1.0°	9.0°	8.0°		11	1			
		11	-3.0°	4.0°	7.0°			11	-8.5°	2.0°	10.5°			11			
		21	-5.0°	6.0°	11.0°			21	-3.5°	3.8°	7.3°			21			
	12	1	-12.5°	-4.5°	8.0°		12	1	-3.0°	-1.0°	2.0°		12	1	-12.5°	-3.0°	9.5°
		11	-15.5°	-6.0°	7.5°			11	-12.0°	-2.0°	10.0°			11	-16.0°	-10.5°	5.5°
		21	-15.0°	-2.0°	13.0°			21	-19.5°	-13.0°	6.5°			21	-19.5°	-12.0°	7.5°

備考

一每日最高最低之溫度多在下午二時及上午六時之時間故表中僅選其最高最低者記載之

一氣溫均以攝氏寒暑表計其每日之溫度

綏遠觀測所歷年降水量統計比較表

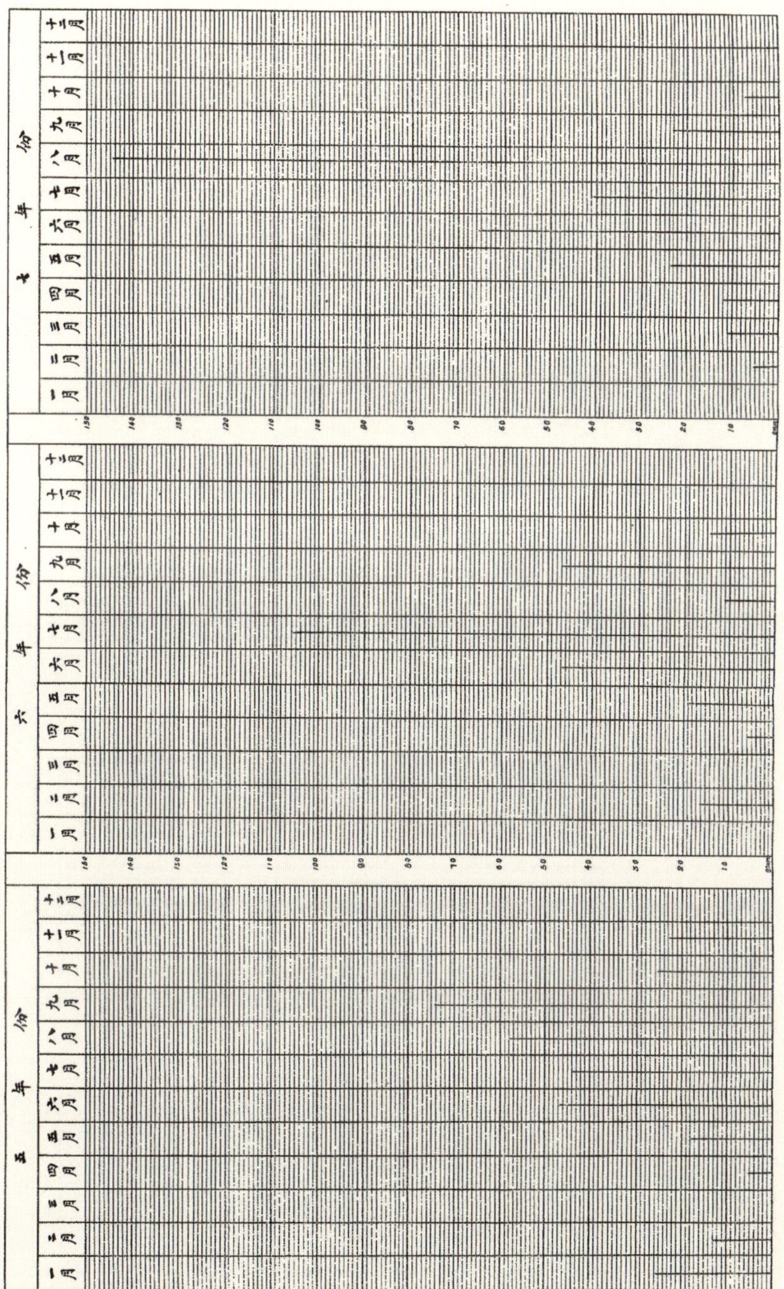

五原縣逐日氣溫高低比較表

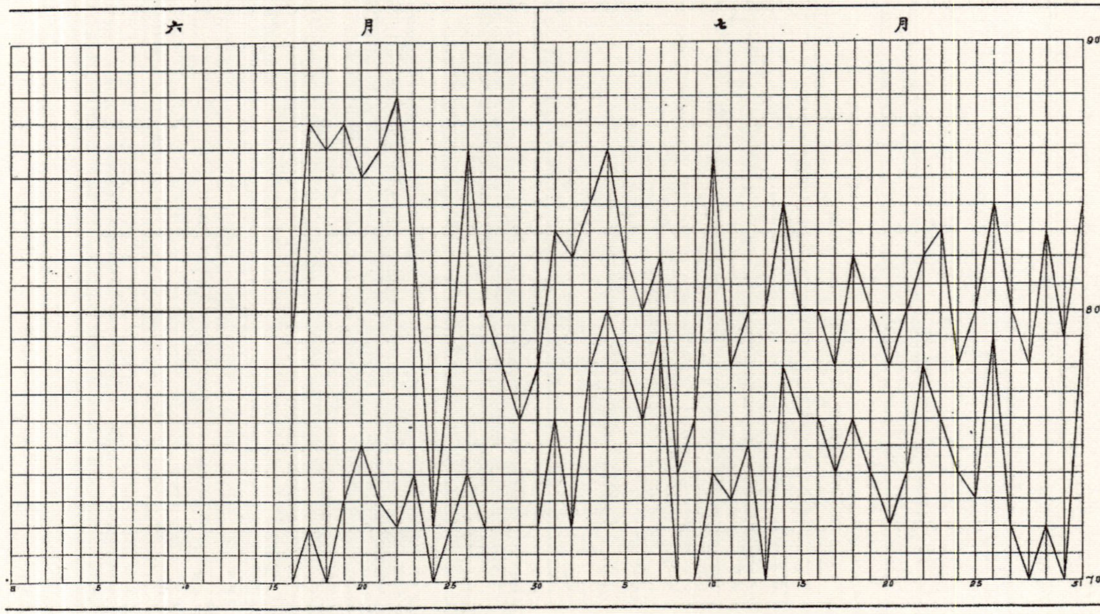

備考

一　表中每一小方格代氣溫一度每日最低溫度均在70°以上故截自70°製表

一　每日最高之溫度均以上綫表示之最低之溫度均以下綫表示之

一　每日氣溫均以華氏寒暑表計其溫度

五原縣雨量比較表

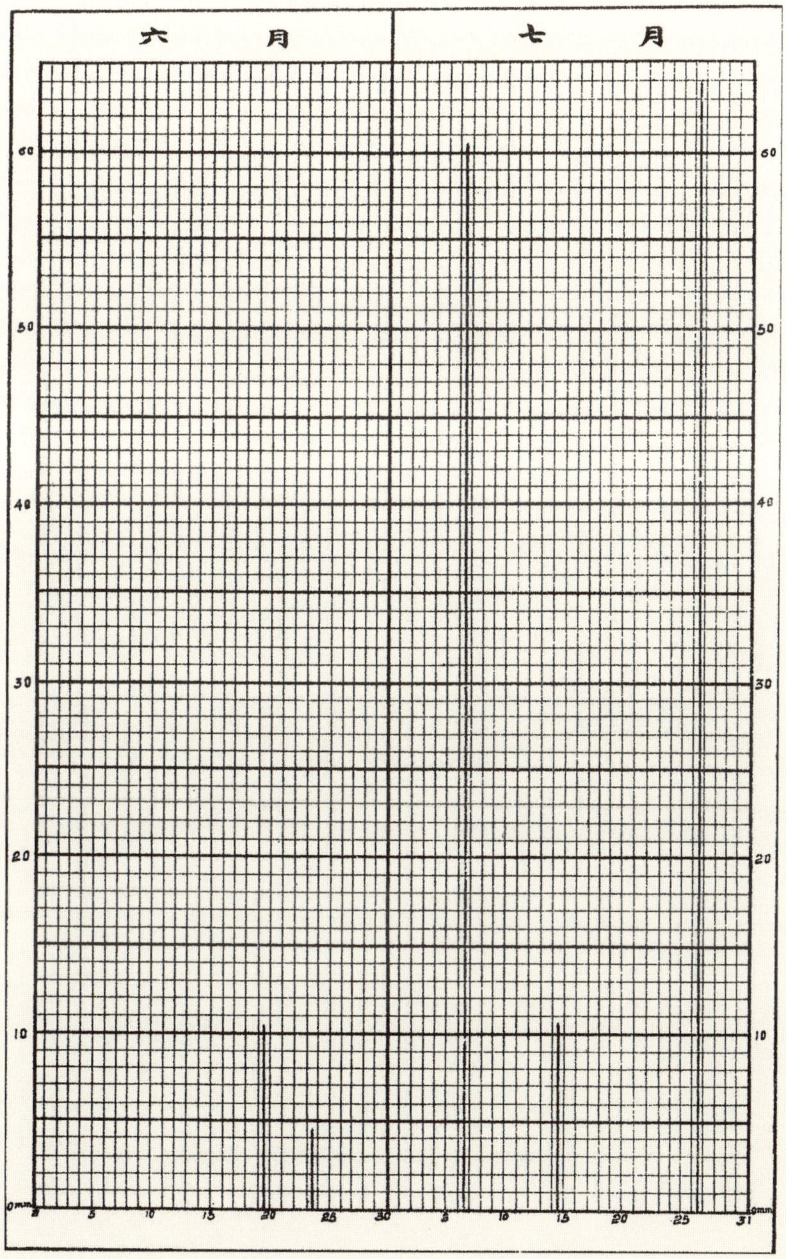

甘肅青銅峽至綏遠河口鎮）

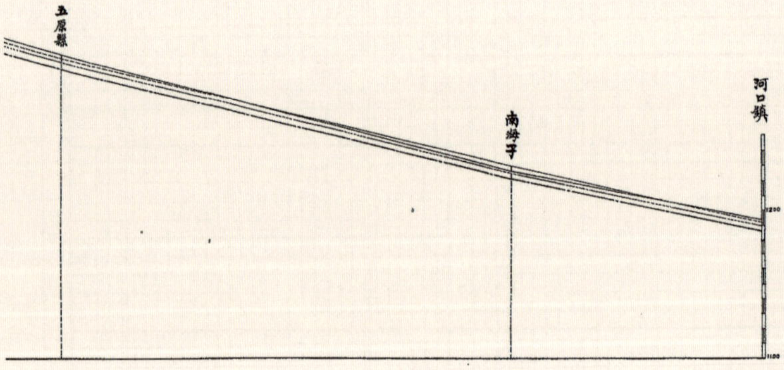

河套黃河縱斷面圖（自甘肅

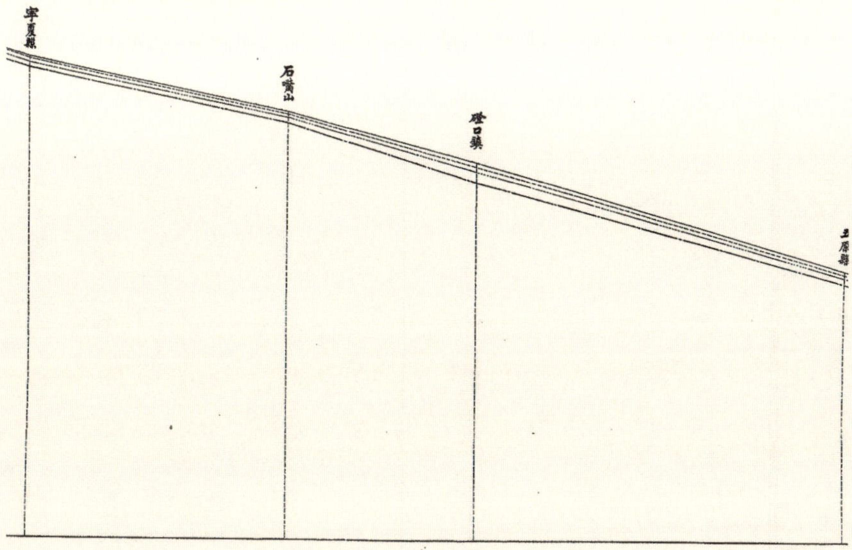

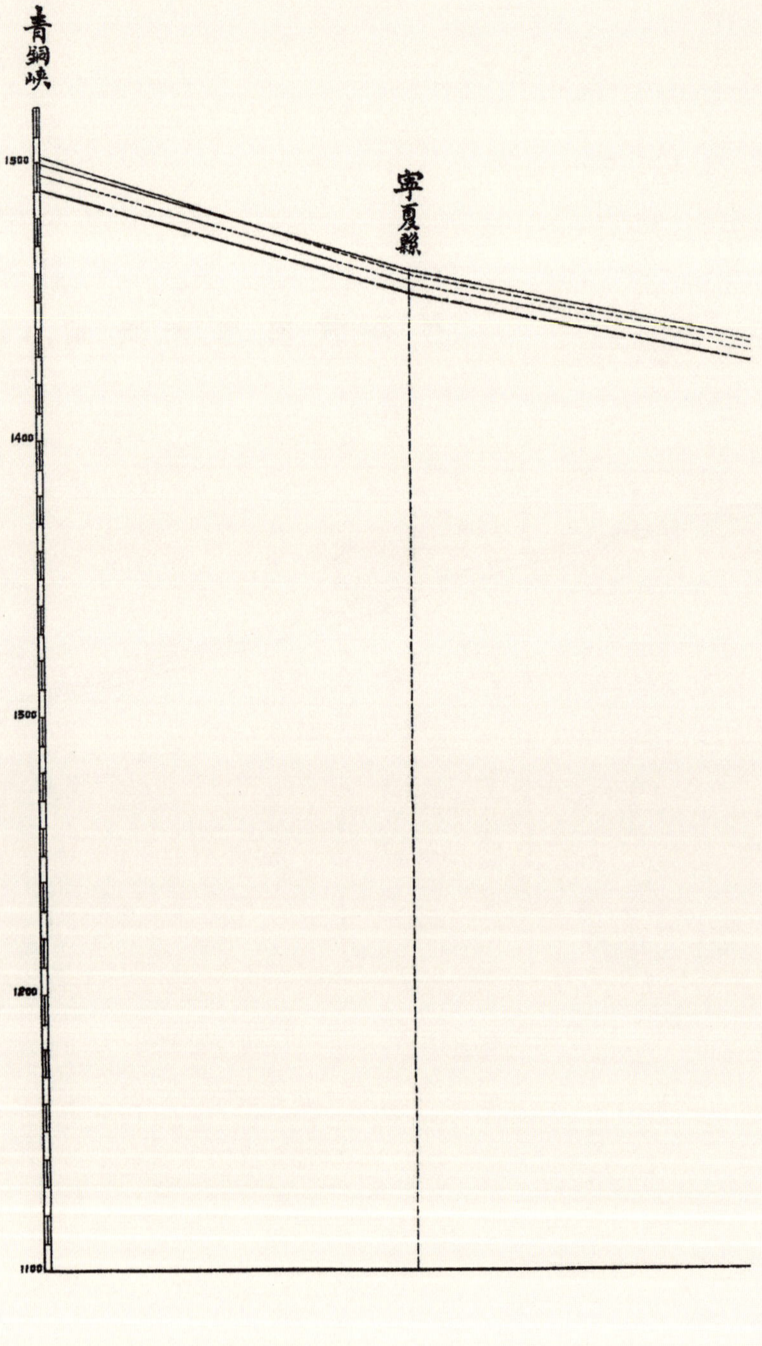
青銅峽
寧夏縣
1500
1400
1500
1200
1100

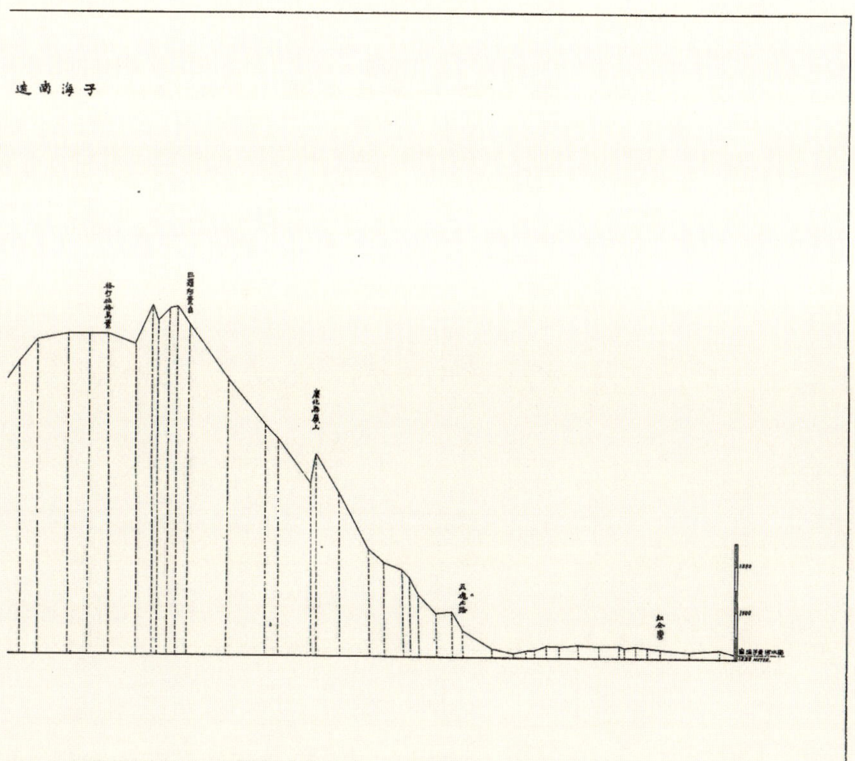
1900

前套地勢截面略圖 自甘肅石嘴山至綏遠南海

縱綫比例五十萬分之一　垂綫比例四千分之一

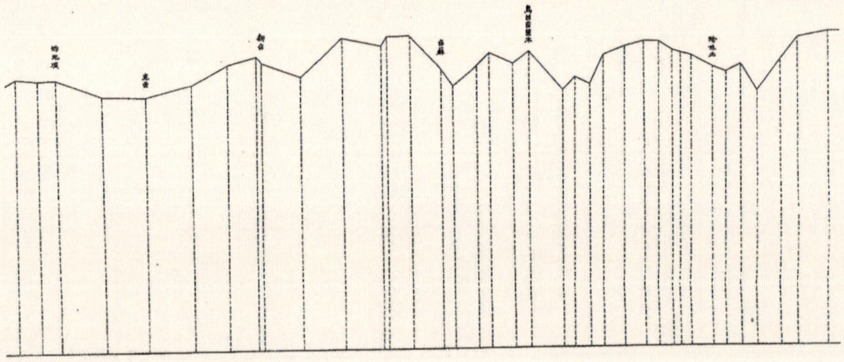

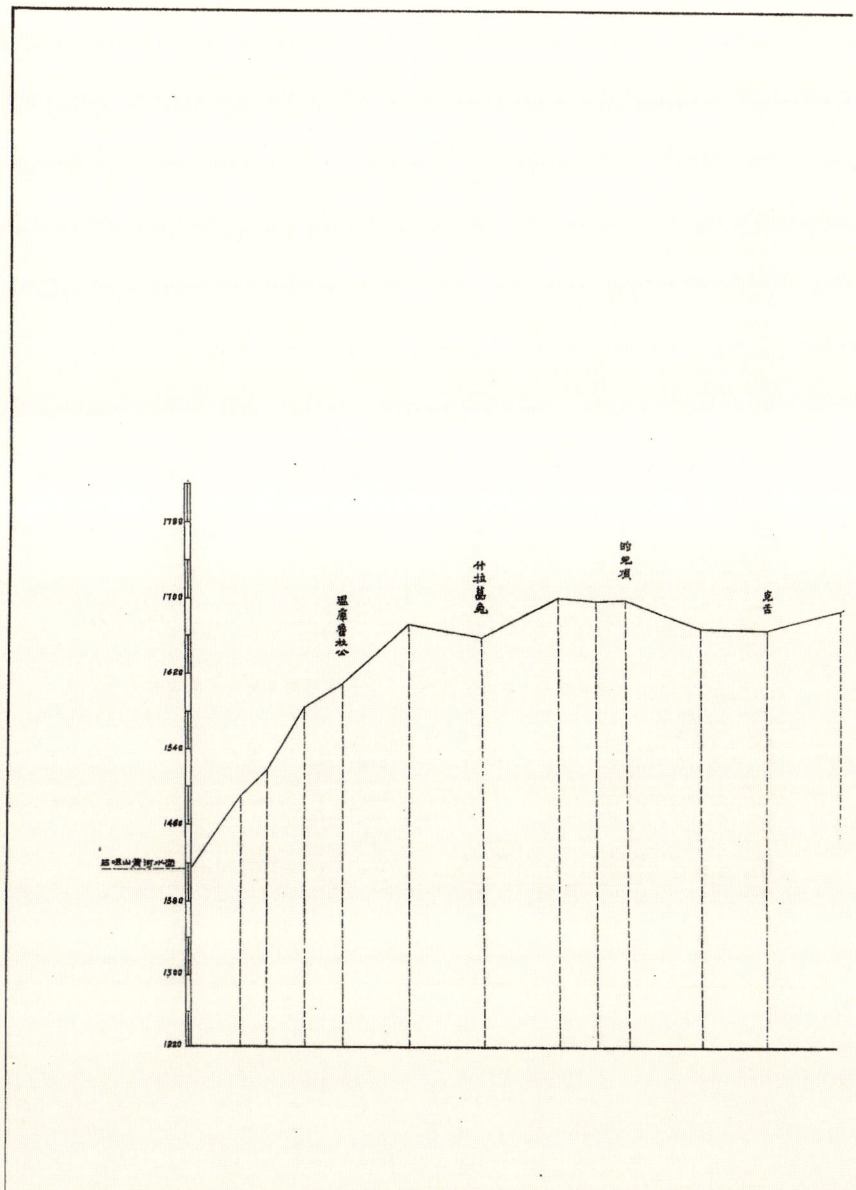
1780
1700
1620
1540
1460
1380
1300
1220

河口鎮至同富堡黃河里程表

附同富堡至青銅峽里程表

各距離均以華里為單位

	河口鎮	南海子	白灣	昭君墳	吉祿台	三頂帳	黃牛圪頭	烏布浪口	義和渠口	劉三地	土默渠口	纏金渠口	老先木嘴	陶斯兔	磴口	烏拉木頭	石嘴山	紅崖渡口	張家嘴子	同富堡	李崗城	陽和堡	漢壩堡
河口鎮																							
南海子	300																						
白灣	370	70.0																					
昭君墳	440	140	70.0																				
吉祿台	530	230	160	90.0																			
三頂帳	630	330	260	190	100																		
黃牛圪頭	700	400	330	260	170	70.0																	
烏布浪口	810	510	440	370	280	180	110																
義和渠口	850	550	480	410	320	220	150	40.0															
劉三地	950	650	580	510	420	320	250	140	100														
土默渠口	1030	730	660	590	500	400	330	220	180	80.0													
纏金渠口	1090	790	720	650	560	460	390	280	240	140	60.0												
老先木嘴	1150	850	780	710	620	520	450	340	300	200	120	60.0											
陶斯兔	1250	950	880	810	720	620	550	440	400	300	220	160	100										
磴口	1370	1070	1000	930	840	740	670	560	520	420	340	280	220	120									
烏拉木頭	1490	1190	1120	1050	960	860	790	680	640	540	460	400	340	240	120								
石嘴山	1620	1320	1250	1180	1090	990	920	810	770	670	590	530	470	370	250	130							
紅崖渡口	1690	1390	1320	1250	1160	1060	990	880	840	740	660	600	540	440	320	200	70.0						
張家嘴子	1815	1515	1445	1375	1285	1185	1115	1005	965	865	785	725	665	565	445	325	195	125					
同富堡	1870	1570	1500	1430	1340	1240	1170	1060	1020	920	840	780	720	620	500	380	250	180	55.0				
李崗城	1930	1630	1560	1490	1400	1300	1230	1120	1080	980	900	840	780	680	560	440	310	240	115	60.0			
陽和堡	1977	1677	1607	1537	1447	1347	1277	1167	1127	1027	947	887	827	727	607	487	357	287	162	107	47.0		
漢壩堡	2060	1760	1690	1620	1530	1430	1360	1250	1210	1110	1030	970	910	810	690	570	440	370	245	190	130	83.0	
青銅峽	2122	1822	1752	1682	1592	1492	1422	1312	1272	1172	1092	1032	972	872	752	632	502	432	307	252	192	145	62.0

石咀山至南海子前套里程表

	石咀山	什拉盟兔	克音	新店	白鎮	烏拉音圖木	哈拉土	楊柳拉格	巴彥諾爾	五原土路	紅台營
石咀山											
什拉盟兔	70.0										
克音	140	70.0									
新店	200	130	60.0								
白鎮	270	200	130	70.0							
烏拉音圖木	320	250	180	120	50.0						
哈拉土	380	310	240	180	110	60.0					
楊柳拉格	440	370	300	240	170	120	60.0				
巴彥諾爾	510	440	370	310	240	190	130	70.0			
五原土路	580	510	440	380	310	260	200	140	70.0		
紅台營	650	580	510	450	380	330	270	210	140	70.0	
南海子	680	610	540	480	410	360	300	240	170	100	30.0

豐鎮縣至南海子里程表

	豐鎮城	涼城縣	臨河坊	二十家子	綏遠城	畢克齊	薩拉城	包頭鎮
豐鎮城								
涼城縣	80.0							
臨河坊	190	110						
二十家子	290	210	100					
綏遠城	360	280	170	70.0				
畢克齊	480	400	290	190	120			
薩拉城	610	530	420	320	250	130		
包頭鎮	720	640	530	430	360	240	110	
南海子	735	655	545	445	375	255	125	15.0

附件

河套墾牧調查及施設灌溉之參考

運河工程局副總工程師 畢斯理

（甲）徵求參考資料

（一）詳細地圖　（二）氣候風土之記載　（三）關於科學或其他種測量記載　（四）該區域附近位置及其形勢　（五）沿革或簡略草圖及其他各項以爲調查出發之一助

（乙）土壤及天然利源

（一）先知該區域之面積大小然後推求可以開墾地肥壤地以及不宜種植地之位置方向至於何處爲黏土地河淤地沙漠地山地種種延長區域及土壤深度是否可行引渠灌溉之計畫均應詳記靡遺

（二）於適宜地點可作化學或機械之試驗以便化分土質

（三）記載山脈位置延長區域石質種類然後可知此項大計畫是否可行而無阻礙

（四）調查每年水量能否灌溉適宜而免旱潦之虞此項來水（如何流源泉雨水水塘等）之多寡深淺及其取水方法（如用人力及其他各種蓄水方法等）均應詳加考察而土地沙地石地草地之適宜種植亦應推求及之

（五）調查森林以爲借給燃料及建築之用

（六）調查燃料種類及大部分人民所用者爲何種燃料

（七）調查其地天然利源如煤鐵等鑛之類

（丙）　天氣

（一）溫度—調查該區域及其附近每日最大最小之溫度以便推算植

物平均可以生長之時間暨春季最冷時間或降雨最早期間及夏季熱度延長時間冬季最冷度及結氷深度之情形均可於記載中得之

（二）降水量—調查該區域多年降水量及降雪量但如此項記載不能徵求得之則可詢之附近居民乏雨區域之面積及多雨季延長時間每年雨量多寡及强度降水區之面積以及在植物生長時期間雨量足用與否種種而無須引水灌溉地之面積亦宜調查及之

（三）風—多風季之時間方向及其强度—雷雹發現時間及次數—暴風雨損害農田狀況

（丁）墾牧

（一）調查天然肥壤地之面積出産種類及無須灌溉之田約爲若干

（二）考查已墾農田之出産以何種爲大宗患旱久暵爲害之狀況種植

手續以及游牧種種均宜注意

（按出發時應先調查雨量足用之地考証明確然後可決定灌溉計畫及建渠之用費其主要目的則在合於經濟之原理改變荒田爲肥壤也）

（三）勘察已用灌溉法墾殖之田則可知如種農產之類別及產量之多寡而於專恃灌溉之田尤加注意

（調查範圍爲灌溉所施手續施行法則供給來水之流滓種植需水之時間及所需水量之尺寸）

（四）欲實行此大計畫使得良好結果端賴以上所述實際之調查然欲種植適宜於該區天氣地質之生長則尤宜對於植物種子詳加考察也

其餘未盡事宜今先條陳於後

（A）規畫收穫之量足供農人一年之需

（B）開闢市塲爲農人交易之預備

（C）欲使收穫之物可供他處之需求則交通尚矣宜先規畫路政如五穀雜粮棉毛牛馬之屬均可運往他處而無停滯之患

（戊）市塲路政

農墾未施行以前宜先規畫某區爲村鎭某處可供建築公共之塲所某路可供輸入各種用品及食物必需之品等等籌畫既定則可規定運輸出產品以爲生利之一道於是建築市塲改良路政實爲不容或緩之圖而將來路政交通均便利時其不興旺者未之有也

（己）測量之計畫——地質天氣宜於農墾惟以缺乏水量致未墾殖之地則不能不思灌溉以補助之其關於此項施設之測量約分如下

（一）假定由一固定地點施測推求可行灌溉地之面積并於適當標高測灌溉區之地平其手續爲

（A）作水平線—可用Y形水準測水準標高

（B）道綫距離可用記步儀推求之或以人行馬行時間計算路途之遠近此種初步測勘不必精確也

（C）用手持水準或坡度水準測地形

（D）作簡畧草圖

（E）設量水標以爲灌溉之參考並可測流量流速此種經營均於該區附近黃河處行之並於每年一定時間繼續進行則數年後之記載即可資攷鏡也

再近山或附近㴋洞之處傾斜必大是以開闢溝渠及擬灌溉之農田須

籌畫妥協之傾斜始得良好之成績因傾斜規定適當與否與建築費之多寡具有關係至於可用灌溉法墾殖之地以普通狀況論之可有百分之六十五至百分之八十也

（二）以上所論初步測量之結果具定此種事業可以進行則當規畫精確之地形測量及灌溉區域之地質化分然後可定墾殖範圍暨開渠之路綫

（A）地形測量可用平板或經緯儀之視距法均無不宜所測同高綫以半米達之距離即足應用平板之比例尺爲五千分之一如是則灌溉區之面積墾殖地之四界均可於圖根中規定也

（B）地質之測量施於墾植地即足應用所施手續爲土質類別深度大小土脈之肥瘠適宜種植之農產及所得之成分以及黃壤之侵蝕律及

滲水性及水流之冲刷等等皆參考中所應徵集之材料也

（C）建渠之路綫須於涵洞瀑布溝渠寬狹及其形狀橋梁規定之後再籌建築應用之材料及器具以爲施工之準備至於用費之多寡須視將來詳細測量之程序及其計畫爲定也

（庚）經費契據

（一）調查出發及測量之計算應以籌備費爲定而每年經常費約分爲調查費測量費建設費開墾費殖民費五類但此種計畫爲發展之事業而非慈善事業可於將來之利益中蓄一準備費作爲天災水災風災所受損失之賠償

（二）開墾地或售或租宜有契據爲証遇有他種事業之發展亦宜具契據爲憑然在未墾種之前不必有此并知農人開墾荒田須籌農具預備

種子然後引水灌溉手續既多頗費經營加以所施工作自覺已墾地爲困難故在此時間所納之稅或租及購地價値總以低廉爲宜至於此種進行非有數年經營必難底定故經濟方面不可不籌適當辦法也

（辛）殖民

殖民問題爲最後之程序凡關人民快樂康健以及人民生息不可不籌畫及之農民除耕種外尙有發展之事如學校銀行貨棧藝術職業學校以及聚樂場所種種亦不宜稍忽者也至於農人方面則當有以下之志願（一）自願爲農（二）用一己之經驗發展農業（三）自己及其全家均有作農之能力并忍耐從事之志願（四）凡新墾之地手續上法則上應由具有經驗之老農指導一切（五）具有經驗之農夫有得上等工資之利益使教不知農事人民以耕種之法用期良好之收穫

以普通人民論大抵皆有成家立業之思想而具一種自立之精神此類人民實爲社會上有力之分子應籌鼓勵之方法以成全其目的也

（一）先察農人工作能力給以若干之田其應得畝數須審度情形而後規定之大抵普通農田較恃灌溉之田爲多因用力少也

（二）開墾地所需時間及經費如用簡單標準則墾務公司可以預算墾地建屋及牲畜廐所應用之費開辦之始最妙由公司代籌農民應用器具牲畜以及所用食品種子其所用之經費至農民收穫時可以取償也

（三）開辦之始應納租稅宜有妥協之規定須知在此時期農民工作較難所應購置農具及牲畜亦較多不可不有通融之辦法至能循序進行時再籌平均之租稅可也

（四）以上所論之計畫行之則籌備愈周密用款亦愈多將來利益中自

可償此經費但其困難之點則在收穫不佳之時公司必負此項經費之責則於進行上不無阻礙此亦不可不思者也

河套水利調查參考譯文　全國水利局諮詢工程師　方維因

一上游流量之約數

一詳記測時之水面高并探詢冬季之水面高度以便推算各季之流量

一含沙成分　詳詢黄河各季之水色以便推估各季含沙成分

一雨量

一河形并墾地草圖

一以氣壓儀推算高度

墾放黄河以北河套地畝歲租水利經費等項説明

查西北沃野千里能得黄河水利者厥爲河套其地形低下如盆西繞賀蘭山

北距陰山南錯榆塞諸山脈地質則由粘土軟土兩分子凝合而成遇暵則堅剛如石子遇雨則疎落如雞糞必得泛濫之河水以浸之乃涵濡沾潤發榮滋倍故種套地者甫經得地先議闢渠費貲甚鉅致力甚勞蓋地依渠爲性命無渠不啻無地也計前墾修治套渠最大者有八日長濟曰塔布曰老郭曰義和曰沙河曰豐濟曰剛茂曰永濟其渠身袤長百四五十里至八九十里百里不等而支子各渠源滙流分隨時皆有合八渠之水灌溉杭錦達拉四成補地及烏拉西公各旗所報押荒地七千餘頃而每年僅就押荒墾地七千頃實在則水之數每頃祇交公家水利經費一兩二錢其常年歲租除四成補地爲歸公之款杭旗報効公家五成外如西公墾地則全數歸蒙之款此外爲達旗永租地原議永遠由官租放不收押荒種則轉租於蒙不種則地爲蒙有前以公家無力修渠減輕租價督民興修此項租地遂設額租地以二千頃爲額租以十

五兩爲率計每年徵租銀三萬兩復以一半歸蒙一半歸公夫以公家修渠費款數十萬之鉅而每年所收費利僅祇此數亦云微矣

墾放黄河以北河套地畝狀况説明

查綏西墾務分隸烏伊兩盟十三旗内分渠地暵地兩項渠地皆屬後套爲抗錦達拉烏拉西公三旗報墾之地其達旗名曰永租地種則轉租於蒙不種則地爲旗有自官渠改歸官督民修以後租有定額每年以兩千頃爲定率其餘杭錦旗放墾渠旱地四千頃烏拉西公放墾渠地一千七百餘頃達旗放墾四成補地一千四百頃如墾地每年播種若干以渠水大小爲轉移仍以渠道之通塞爲定衡大放之初各因其地勢之低昂受水之容量以定等次頃畝如領地百畝而每年所種之數迄不能足於原領之數因渠水小限之也

已未墾放河套地畝説明

查黃河以北狼山以南河套內有丈放過

伊克昭盟杭錦旗報墾渠旱地四千餘頃達拉特旗報墾永租渠地二千頃公家贖回墾放達拉特賠償教款四成補地一千四百餘頃達拉特旗報効公家賞過地價五原城基地寬長各十里除去修建衙署學堂營房監獄等項房間外約可放房基及耕種渠地三四百頃烏蘭察布盟烏拉特西公旗報墾什拉胡魯素紅門圖各渠地一千七百餘頃又黃河以北烏拉山以南烏拉特中公旗報墾旱地八百餘頃烏拉特東公旗報墾旱地渠地六百餘頃又有烏拉特西公旗現在報墾未經勘收丈放渠地一段烏拉特東公旗現在報墾未經勘收丈放旱地一段此二段地將來共放地若干頃難以預算

查黃河以南邊牆以北又謂黃河以西河套內有丈放過

伊克昭盟郡王旗報墾旱地九千六百餘頃郡王旗王愛召廟香火地旱地一千六百餘頃札薩克旗報墾旱地一千六百餘頃又報効祝嘏旱地五百餘頃鄂托克旗報墾旱地一百八十餘頃準噶爾旗報墾旱地一千五百餘頃烏審旗報墾旱地一千四百餘頃祝嘏旱地五百餘頃烏拉特西公旗補報噶魯台旱地五百餘頃烏拉特東公旗報効墾紅洞灣旱地五百餘頃又丈放過黄河以東以西十一台站已放站地改辦官租資津貼台站官兵共計畝地八千餘頃

西盟墾務總局詳奉批定達拉特旗永租地畝租條修渠分水經費四項章程

謹將籌辦達旗永租地畝分别擬定租條修渠分水經費四項章程開具清摺

恭呈

計開

租章

一達旗永租各地分澆塔布長濟老郭義河沙河剛目豐濟永濟八大渠之水以渠水之澆灌定租地之寡多前因伏水欠澆民戶祇正月認領一千八百頃嗣經再四開導冬水又復普及現已議定東西各渠地每年認領二千頃爲定數

一永租地每頃每年議定呈交庫平租銀一十五兩每年八月開征次年二月掃數

一租戶認定地段擇其殷實之家取具連環保結再行發給認領執照其有無故拖欠惟原保人是問

一達旗租地商報蒙報膳召戶口其應分歸蒙租款均由達旗貝子祇領轉發

一租戶認地若干頃數呈交租銀即不勘丈春苗如遇水旱偏災准該租戶隨時報明水利局詳請派員查驗准照錢糧例分別災區輕重酌量蠲緩

修渠

一民戶永遠認租按段撥給承領幹支各渠自應歸該租戶修理每大渠一道分立一社公舉社長一人總司渠事其渠身之寬窄深淺長短照現時官渠之尺寸丈量確實繪圖貼說附照尾認租期滿如有更換應按原丈尺寸交局如有淤澄應責令該租戶賠修

一租則減輕使民戶知有利而修渠若不嚴定限制則偷工省費廢棄堪虞惟修渠每頃每年應責令出貲若干而渠工之大小無定無憑核計擬於按年由水利委員分履幹支各渠勘估工程如幹渠估工若干凡灌此幹渠之水

者按青苗地頃數分別公共攤認其支渠估工後應由澆支渠之地戶出資承修每頃出資若干交由社長按戶收存次年春融興修由水利委員督催監工驗收倘地戶延不交納准稟由水利局照章嚴催以昭劃一

一永租各戶承修幹渠爲纏金豐濟沙河各幹渠上遊杭錦升科各地均用大渠之水澆灌渠歸民修每頃出資若干自應分別攤認惟永租既減輕租價且達旗渠較長而水利經費出自十五兩之內升科地則每頃亦認交經費一兩二錢若修幹渠一律攤費殊不足以昭公允凡修洗幹渠出資杭錦地四成補地每澆地一頃按永租地十成之五攤認以免爭執

一永租地有定額民戶經營自力上游杭錦升科地其無專渠者皆賴大渠灌溉修渠用水仍照舊章其改口添口應由水利局履勘核准方能興工不得任意開挖永租地戶等亦不得攔阻

水利

一長濟老郭兩渠分澆達旗四成補地達旗永租地杭錦課地向奉平口灌溉不准築壩以期水利均沾應照舊章辦理惟渠歸民修修渠之費公共攤認倘遇黃河水小不能普及准由各社長禀明水利局開臨時會議輪流作閘按青苗地之多寡定閘水口之期限必經全體認可不得由一方擅主違者議罰

一義和渠爲烏拉西公地之專渠因該地距河窵遠向無通河渠道且爲數在一千七百餘頃若不指定專渠不足以資保守應以義和渠爲烏拉西公地專渠其分澆達旗永租杭旗課地查照原案永租地居下游平口能澆勿論水之大小永遠不准閘壩杭錦課地地居上游得水最早倘遇水小非作閘不能上地准於伏水作閘一次秋水作閘一次每次以五晝夜爲限

一杭錦三段押荒地畝其無專渠之地向借沙河剛目兩渠灌溉准照舊章澆水惟須平口不得攔渠築壩

一豐濟永濟兩大渠爲永租最爲適用之渠澆地亦居最多之數其杭錦四段三段所放押荒地畝勢居上游支渠分歧仍准照舊平口澆灌以期水利均沾惟遇水小之年上下游各支渠口此關彼開挨次輪澆庶水利平均不至爭執其輪澆日期亦按青苗地畝多寡核定應由該社長等臨時公議

一烏家河所澆地畝專恃塔布老郭各渠之退水灌溉義和渠既指定爲烏拉專渠仍賴各渠退水以補不足其永濟豐濟各渠之水先儘達旗永租杭錦課地澆灌如墾地尚未澆足該租戶不得輸入界外漁利違者議罰

經費

一租銀應劃分歸公歸蒙經費三項如每頃收銀十五兩以二千頃計之共收

庫平銀三萬兩先提將軍都統公費銀三千六百兩再提二成三經費銀六千零七十二兩應餘二萬三百二十八兩以一半歸公以一半歸蒙惟公費經費二項係屬額支應准隨時提用至歸公歸蒙兩項或租銀拖欠或遇水旱偏災除提額支公費經費外應以實在徵收歸公歸蒙核算

一永租辦定墾局即可裁撤改設水利專員分司各地督工修渠澆水收租等事擬分設總局一處總辦一員會辦一員（此會辦以地方行政官兼充）正副委員二員司事二員書手四名渠夫十名兩分局每局正副委員二員司事二名書手二名渠夫六名以節糜費

一水利總局總辦一員每月薪水銀一百兩車馬費銀二十兩會辦一員按地方兼差每月津貼銀七十兩正委員一員每月薪水銀四十兩車馬費銀二十兩副委員一員每月薪水銀二十六兩車馬費銀十四兩司事二名每名

每月薪水銀十二兩馬乾銀六兩二名共薪水銀二十四兩共馬乾銀十二兩書手四名每名每月薪水銀六兩馬乾四兩四名共薪水銀二十四兩共馬乾銀十六兩渠夫十名每名每月工食銀三兩十名共工食銀三十兩每月局費紙張等項銀四十兩每月共開支銀四百三十六兩每年共開支銀五千二百三十二兩

一水利兩分局每局正委員一員每月薪水銀四十兩車馬費銀二十兩副委員一員每月薪水銀二十六兩車馬費銀十四兩司事二名每名每月薪水銀十二兩馬乾銀六兩二名共薪水銀二十四兩共馬乾銀十二兩書手二名每名每月薪水銀六兩馬乾銀四兩二名共薪水銀十二兩共馬乾銀八兩渠夫六名每名每月工食銀三兩六名共工食銀十八兩分局兩處每月每處局費紙張銀二十兩每分局每月共開支銀一百九十四兩兩分局每

月共合開支銀三百八十八兩每年共開支銀四千六百五十六兩總分三局統共每年應開支經費銀九千八百八十兩當有特别開支不能預算擬請每年於永租升科地内酌籌經費以作的款

一渠歸民修如四成補地杭錦烏拉西公各升科地向章每澆地一頃交渠租銀四兩五錢今渠歸民戶自行承修渠租名目似擬減免而水利經費自應由永租與升科兩項地内分籌擬請升科各地每澆地一頃征水利經費銀一兩二錢以後套課地計之每年約可澆地三千數百頃四千頃不等即以三千五百頃總計每年約可籌水利經費銀四千二百兩合以永租地所提二成三經費銀六千七十二兩共又收銀一萬二百七十二兩與開支銀九千八百八十兩比較似可有盈無絀

一本年創辦永租改設水利專員所需經費請於續收押荒項下作正開支而

本年所提永租項下二成三經費留作次年動用因所收永租款項均待秋後開征來年掃數而經費開支按月動用勢不容緩以後按年遞推庶經費有資辦公不至竭蹶

一永租地如遇渠水過大退至烏家河北澆灌未經報墾之地每頃酌收水租惟年無定向地無確數礙難預算其每年所得之租銀另款報明確數或掃歸經費以補款項之不足

前清宣統三年詳定　中華民國元年實行

河套與治河之關係

張相文

河源星宿九曲而後入海自青海至中衛皆在山峽間自中衛而東入河套繚繞回環極千餘里而至托城沿岸坡陀漸起南抵天橋復行入峽經龍門潼關又東折而至成皋乃復出峽河行山峽間兩岸懸崖急流如瀑故無利亦無害

東出成皋則平原莽莽土性疎浮河挾其澎湃汪洋之勢縱橫冲決遍乎青兗徐豫之郊歷數千年而未有窮期此則祇見河之害而不見河之利矣河套則地形低下如盜西繞賀蘭北距陰山南錯榆塞諸山脈察其山間汀線隨地皆留有內海遺蹟其地質則由黏土軟土兩分子混合而成遇暵則堅剛如石子遇雨則疎落如鷄糞必得填閼之河水以浸之乃涵濡沾潤發榮滋倍而其浸灌之期又以六月伏水爲最七月八月次之至九月霜降（皆就舊歷言）乃復放之使涸經冬雪凝之春陽曝之則土膏盡發畝皆數鍾蓋河之利於河套也如此古云黃河富寧夏猶祇見其一班而已豈足以語河套數十萬方里之膏腴哉惜夫向之辦墾者徒以攘奪民田爲事而於北河之本流則聽其斷絕以致引水不暢即已開之渠亦半歸湮塞行乎其野但見頹垣敗屋滉瀁於青天白草之中而轉借荒隴牛羊以爲點綴風景之具誰爲爲之而至於此不亦

重可慨也耶

且夫黄河之爲中國患也固已數千年於兹矣歲靡無量數之金錢漂失無量數之生命財産迄今回溯往蹟蓋猶有餘痛焉今試約舉歷代河流變遷之迹以比較其時間之長短庶乎察往知來知所借鑒焉耳若夫小小潰决未改故道者則不暇具列也

年代　流略　歷時以禹平水土告厥成功之年爲起點其後則以次遞推

周定王五年　禹厮二渠自黎陽宿胥口始定王五年河徙自宿胥口東行漯川又東北至長壽津始與漯川别行而東北合漳水至章武入海碣石之故道廢是爲河之初徙　六百六十餘年

漢武帝元光三年　河决濮陽瓠子東南注鉅野通於淮泗梁楚之地被災尤甚是爲河之再徙而實黄河南行奪淮之始二百七十三年

漢武帝　自宣房塞後河復北決館陶分爲屯氏河東北經魏郡淸河入渤海
　屯氏之分史不言其年代然爲期必甚短
漢成帝永光四年　河決淸河靈鳴犢口屯氏河復絶其後遂由千乘入海
　九十三年
王莽始建國五年　河決魏郡泛淸河以東北瀆遂空　五十年
漢明帝永平十三年　王景修渠築隄自榮陽東至千乘海口千餘里次年渠
　成　五十七年
宋太宗太平興國八年　河大決滑州泛澶濮曹濟東南流至彭城入於淮
　九百十七年
宋眞宗咸平三年　河決鄆州浮鉅野入淮泗　十六年
宋眞宗天禧三年　河大決滑州歷澶濮曹鄆注梁山濼合淸水古汴渠東入

於淮　十八年
宋仁宗景祐元年　河決橫隴遂爲大河經流京東之故道廢　十四年
宋仁宗慶歷八年　河決商胡合永濟渠注乾寧軍入海是爲北流而橫隴之故道復廢　十一年
宋仁宗嘉祐五年　北流復決爲二渠自魏恩東至德滄入海是爲東流　十二年
宋神宗熙寧十年　河決澶州曹村澶淵北流斷絶河道南徙東會於梁山張澤濼分爲二渠一合南淸河入淮一合北淸河入海　十七年
宋哲宗元符二年　河決内黃口東流斷絶　十二年
金世宗大定　年　此事不見金史范成大北使錄濬州城南有積水若河葢黃河剩水也朱子語錄元豐間河北徙自是中原多事後來金人亦多事近

來又北流見歸正人說蓋是時河嘗南流尋復北流也　約六十年

金章宗明昌五年　河決陽武故隄灌封邱而東注梁山濼分爲二派北派由北清河入海南派由南清河入淮汲胙之河遂空　約四十年

元世祖至元九年　河決新鄉廣盈倉徙自原武出陽武南而新鄉之流遂絕　七十八年

元成宗大德元年　河決杞縣蒲口旋徙而北自陳留入蘭陽儀封　十二年

元泰定帝元年　河決開封由汴渠東入徐合淮泗入海　二十九年

元順帝至正四年　河決金隄北侵安山沿入會通運河延袤於濟南河間　二十年

元順帝至正二十六年　河北徙東明曹濮濟寧皆被災　十四年

明太祖洪武八年　大河南決挾穎入淮蔡河之下流漸絕　九年

明太祖洪武二十四年　河决原武之黑陽山東經開封城北又南行至項城經潁州壽州全入於淮而故道遂淤　十六年

明太宗永樂十四年　河决開封經懷遠縣由渦河入淮　二十五年

明英宗正統十二年　河决沙灣入海尋决滎澤入淮　十一年

明英宗正統十三年　河徙開封西北入汴至壽州入淮又决滎陽東過開封西南經陳留自亳入渦口經蒙城至懷遠界入淮　一年

明英宗天順五年　河自武陟徙原武而獲嘉之河流絶　十四年

明孝宗弘治二年　河决汴城入淮復决黄陵岡入海　十八年

明孝宗弘治五年　河决楊家金龍等口東注潰黄陵岡下張秋隄入漕河與汶水合而北行　三年

明孝宗弘治六年　河决張新東隄奪汶水入海次年劉大夏築太行隄北流

遂絶始此一淮受全河之水　一年

明孝宗弘治十八年　河北徙三百里至宿遷縣河口入漕河　十二年

明武宗正德二年　河徙入泡河大水壞民居　三年

明武宗正德四年　河北徙一百二十里至沛縣飛雲橋入漕河　二年

明武宗正德五年　河北徙儀封縣小宋集冲黄陵岡溢入賈魯河　一年

明世宗嘉靖九年　河自沛縣北徙金鄉魚臺出穀亭口　二十年

明世宗嘉靖十三年　河由趙波寨南向亳泗東出穀亭之流遂絶　四年

明世宗嘉靖十九年　河決野雞岡由渦河入淮　六年

明世宗嘉靖三十七年　河北徙新集淤而爲陸二百五十餘里視故道高三丈有奇　十八年

明神宗萬歷十七年　河由李景高口决入睢陳故道　三十一年

明神宗萬歷二十五年．河決黃堌口經符離橋出宿遷新河口入大河半由徐州入舊河濟運而二洪告涸　八年

明神宗萬歷三十年　河決蒙牆寺入歸德南與淮會入洪澤　五年

明神宗萬歷三十二年　河決米旺口蕩漾三載至徙於溝始定　二年

明神宗萬歷四十六年　河決脾沙堤由封邱曹單至考城復入舊黃河　十四年

明熹宗天啓元年　河決靈壁由永姬湖出白洋小口仍與黃會故道湮涸四年

明熹宗天啓三年　河決徐州大龍口徐邳靈睢河並淤雙溝河亦淤上下百五十里盡成平陸　二年

明懷宗崇禎十六年　河決汴城南入於渦　二十年

清世祖順治九年　河決封邱由長垣趨東昌壞安平隄北入海　十年
清聖祖康熙六十年　河决武陟下大清河入海　七十年
清高宗乾隆十六年　河決陽武東北下張新入海　三十年
清高宗乾隆二十六年　河决中牟奪渦入海　十年
清高宗乾隆四十五年　河决儀封考城奪渦入淮　十九年
清高宗乾隆五十二年　河决睢州南入渦淮　七年
清仁宗嘉慶三年　河决睢州全由亳州入洪澤湖　十一年
清仁宗嘉慶二十四年　河決武陟注張秋東北入海　十一年
清宣宗道光二十年　河决祥符南岸下注鳳潁奪淮　二十二年
清宣宗道光二十三年　河决中牟南岸由鳳穎入淮　二年
清文宗咸豐六年　河决銅瓦廂奪大清河入海　十三年

清德宗光緒十三年　河決鄭州南入洪澤湖　三十五年

據右表觀之河流變遷以宋明兩代爲最數清次之漢又次之金元則南北橫流得其中數獨由東漢以及李唐河流順軌幾及千年直與三代之禹河爭烈以何因由而能致此此歷史上最有價値之問題也閻百詩謂其說有二一程子曰漢宋火德多水災唐土德少河患一宋敏求曰唐河朔地天寶後久屬藩臣縱有河事不聞朝廷是二說也

第一說屬於讖緯悠謬之談今雖小學生猶知其然抑亦無容置辨

第二說以解河流之漫溢潰決猶可言也至於大河改道千里爲墟若河北道之魏博德棣若河南道之汴宋淄靑皆當時人事最繁之地記載之所流傳詩人之所謌詠考其社會情狀雖千載後蓋歷歷猶在目前焉豈有彌天巨變乃至片楮無傳而求其舊蹟亦無可彷彿者則第二說亦不足徵信也胡氏朏明

則謂王景治河鑿山截瀾十里立一閘門令更相洄注無復潰漏之患故河垂千載而後變景之功實不可誣顧考景之所謂猶是分汰疊塘之法後世潘季馴靳輔諸人所常用耳縱有功效逮及魏晉足矣更何能遠及唐代是則歸功王景允屬虛淺之見也然究以何因緣而能致此張相文曰吾乃今觀於河套而得之矣則試與言河套地理之沿革三代以前吾不得而知之漢族之佔領河套蓋自戰國時始史記趙武靈王二十六年復攻中山攘地北至燕代西至雲中九原二十七年西北略地欲從雲中九原直南襲秦其後趙衰匈奴益强遂入居河南秦始皇三十三年使蒙恬下逐匈奴收河南地以爲四十四縣又渡河據陰山逶迤而北謂其地爲新秦徙民以實之楚漢之際匈奴復熾乘間南渡河冀復收蒙恬所奪地大爲邊患漢武元朔二年斥逐匈奴遣衛青等渡西河歷高闕收河南地主父偃言河南地肥饒外阻河蒙恬城之以逐匈奴內

省轉輸戍漕廣中國備邊之本也乃集朔方城立朔方郡繕故蒙恬所爲塞因河爲固且自宣房塞後用事者爭言水利朔方西河皆引河溉田各數萬項官吏卒伍六萬餘稍蠶食地接匈奴以北後五單于爭立呼韓邪款塞請朝留居五原塞下東漢永平中置度遼將軍屯營曼柏以防南北匈奴已而北匈奴益衰耗南單于上言求復障塞乃增置緣邊諸郡兵列屯塞下順帝永建初隴西羌亂西河上郡朔方皆殘破四年虞詡上疏謂三郡沃野千里水草豐美土宜產牧宜復城邑事耕屯從之于於激河濬渠爲屯田省內郡費一億計自魏晋以降中原多故其地遂淪於異域未幾拓拔魏起盛樂兼有河西薄骨律鎮將刁雍上表請開富平西三十里艾山舊渠通河水溉公私田四萬餘頃人大獲其利迨隋唐遞興聲教遠訖築城置縣儼同內地隋開皇間遂於河南置豐勝二州唐景龍二年張仁愿復於河北岸築三受降城以拂雲堆爲中城與東西

二城相去各四百里於牛頭牟那山北置烽堠一千八百所開元二年移安北都護府於中城置屯田元和六年韓重華爲振武營田和糴水陸運使重華乃募人爲十五屯屯置百三十人而種百頃東起振武轉而西過雲中界極於中受降城出入河山之際六百餘里屯堡相望人得肆耕其中歲省度支錢千三百萬及唐之衰也長興中朔方帥張希崇復引河渠興屯田以省漕運民夷愛之惟自拓拔思恭據有夏州延及宗世倔强益甚傳祚至三百餘年始爲蒙古所併金元交爭未遑他務明初李文忠定大同西略豐州遂城勝州以統套內之地使軍士耕牧其中亦寖寖乎復漢唐之舊矣乃永樂初遽從廢棄移治延綏天順六年元裔毛里孩阿羅山孛羅出等乃乘虛入而踞之沿及有清遂爲伊克昭七旗合以烏拉特西旗土默特一旗阿拉善東部則盡乎古大河南北沿岸諸境而歷代分屯置戍得失盛衰之迹亦略具於此矣

觀於此而歷代河流遷徙之故乃可惜精確之學理隨事以解明之三代之世草昧初開北徼荒寒人蹤尤寡鼂錯所謂胡貉之地積陰之處木皮三寸冰厚六尺者是也遙想其時平川則草長連天山間則森木蔽野防沙噏水自成天然之功用是故禹河之歷千餘載而不變者固時勢使然非必禹之果有神術也戰國時秦趙分爭始皇卒併其地命曰新秦直以國名名之此其拓土殖民宛與近世西人所謂新英倫新西蘭者後先同揆而秦人珍重愛護沾沾自喜之心亦可想見矣惜乎蒙恬逐匈奴當始皇三十三年越三十五年始皇崩劉項兵起天下大亂匈奴復起而奪之蓋秦之有河套始終不過二三年故其開始經營者僅及今寧夏一隅未能遍於全土也漢初則適值冒頓鴟張寇邊無虛歲繼以武帝雄才衛靑諸將帥之武勇僅乃攘而却之惟疆埸新復移民實邊未遂大效又以連年用兵之故反將洪荒以來所叢殖之古木深林蹂躪摧

燒使山蹊之間同歸濯濯於是天然之功用消滅而西漢河患遂與匈奴兵爭顯呈一連帶之關係矣

武帝以後胡漢之勝負以決而河套之墾闢乃漸入順境直亘乎東漢之末亭障無驚魏晉以還漢族之勢力微矣顧其時戎馬倉皇皆在中原以內而邊疆甌脫反爲世外之桃源是以河套雖經殘破郡縣爲墟而溝渠當未盡廢也且自拓拔氏興於盛樂考其遺墟卽在今大黑河畔迨太武滅夏因置夏州東夏州凡領郡八縣十有八中葉以後乃置沃野統萬懷朔諸鎭太和初平三齊復徙歷下之民居渾懷是其富庶殷闐景象度不亞於秦漢矣歷周迄隋建設未廢及唐人滅突厥而張仁愿張說張希崇韓重華等設屯募墾直遠承乎漢魏周隋歷千百年而日益發展則其所以濬畎澮而彌外患者固自有在而豈必王景之功爲足多歟知乎此而當時河患之所由少可思過半矣

至宋世而胡漢之形勢乃大變矣自唐之末河套之地已爲西夏所據夏有河套內外州郡二十二唯興州靈州有口源唐涼二古渠支引黃河有灌溉之利若河東河北則分屬於遼遼太祖伐吐谷渾平黨項還攻豐州天德盡俘其吏民以東其後唯於金肅河淸各置防秋軍一千蓋夏於遼固夾河爲界矣遼亡夏與金又爲八館之爭搶攘紛紜幾無寧宇漢唐屯墾之遺規至此迨盡歸湮沒及元太祖破遼青塚乃由東勝渡河收西夏夏亡而元人享國日淺雖以郭守敬之深明水理亦第於寧夏唐渠稍事修復寧夏以東未暇過問也明人則舉延綏以北盡委之蒙古萬歷中遊擊金城自寧夏乘河汛漲順流而東月餘至老牛灣中外相慶炫爲奇功蓋自宋迄明凡六七百年向日列戍分屯之所已盡化爲氈裘游牧之場矣此宋明河患所以日亟也

滿清入主中夏河套內外悉隸版圖蒙漢之兵爭以泯顧其於蒙漢疆界則一

仍明代之舊又設爲私墾之禁以防遏蒙漢之交通故套地之荒落如故也暨乎承平既久内地之户口日益繁滋去嗇就豐乃人類自然之趨勢固非法令所能爲力也聞之故老自康熙西征設驛於殺虎口由歸化城西抵包鎮北出狼山固所以便軍旅也而秦晉貧民即相與負來牽車竊循驛程以俱進耰鋤所及先使土默特與之同化乾隆年間遂越包鎮西侵入後套艾榛莽驅狐兎築室耕田儼然爲漢家恢復其舊領土焉此眞吾民之特别優點也惟疆理區畫初無人焉預爲之程故其溝塍縱横皆支離破碎不成片段其操業亦皆半耕半牧半商半旅若合伏羲神農同處於一時代者然大河南北固已漸進於耕田鑿井之世矣此又清代河患少於宋明亞於西漢之原因也

要而論之河套者胡漢間之一大結穴也胡人得之則沃壤良田棄爲獸食而已更得資其野性西犯則突隴右南犯則掠汾闔蹴踏焚略使潢汙行潦之水

皆將助河爲虐漢人得之則不能不有事於戍守既有事於戍守卽不能不有事於耕屯何則套地孤懸塞北距長安洛陽皆在千里以外芻粟轉輸既阻於壺口龍門之絕險河之兩岸又皆重山疊巘飛輓皆窮其必併力耕耘以給軍食爲戰守之資者固軍事上當然之計畫也且以河套地質之殊耕作既興其必廣鑿溝渠以資澆灌者又相因而及之勢也今考漢唐間屯戍之蹟西起寗夏東達托城濱河南北各數千里溝澮交通支脈旁達其容水面積直無異洞庭彭蠡爲長江中游之渟蓄所彼其時固未嘗爲治河計也然河流之泛漲自此乃得所容納矣天下事往往有致力於此而收效於彼者觀於漢唐間河患之多少也猶信

耗矣哀哉吾國人之治河也水之漲也莫究其所由來河之徙也莫考其所由致朝野汲汲顧景不遑即號爲治河之能臣間世一見亦僅知捧土築隄以冀

朝夕之不敗倖而節屆霜降普慶安瀾則將軍大王之祭賽其靈爽乃覺如嚮斯應庸詎知彼所謂伏秋大汛者下游數省畏水如虎之時正河套農民惜水如金之時也哉蓋嘗譬之人身中衞以上其咽喉也成皋以東其尾閭也河套之間則其腸胃也人有病泄瀉者固當以清理腸胃爲先乃不此之察而惟尾閭之是塞是之醫爲何醫歟亦何怪徒耗醫錢而病之相循且不知其所底也語不云乎前事不忘後事之師也古之時胡漢角立此疆彼界畛域攸分雖有遠識豈能越國爲謀今則五族共和矣利害所關蒙漢共之則所爲懲既往而毖將來規全局以定大計善其事固不在于今日耶蓋嘗統河套之大勢觀之前清二百年間公私所墾多在後套即漢時所謂南北兩河間也顧當時規畫既未周詳而所開渠道又復淺而多湮灌紆不廣此則急宜改作者也至于南河之南今則謂之河西其地三面環河南亘沙梁相其地層紋理宛然蓋皆由

河水冲積而成者可知其生殖之力不亞後套矣惟比之後套地勢少高河水之泛溢不能及之故縱有漢民墾種不逮十之五六今如由西河上流磴口以下諸處猶其天然之形就沙梁以北廣開横渠一道使與南北兩河相並而東至托城之西與古沙陵湖相會復由横渠北岸多鑿支渠隨鑿隨墾貲其租入以贍工作河渠之上則多植榆柳以固之如是而南河以南沙梁以北凡鄂托杭錦達拉特準噶爾諸旗地悉可變爲腴田此利在河套者也黄河巨浸既已得所消容龍門以下但餘汾渭沁洛諸水雖遇暴漲亦斷不至潰决爲災則青兖徐豫之間即可永悉河患此利在下游者也且自西河以抵托城其直徑不及千里約計鑿渠所耗不及千萬此則豫東兩省數年防河之費耳然河渠既開乃爲上流闢無盡藏之利源以視堵塞下流徒爲無底之漏巵者其得失相去爲何如耶

顧或者疑之謂河水重濁理無不淤淤積既高水無所容仍必東漲此又無慮也河既入塞即有天橋以握其衝巨石横空河出其下闊僅一丈二尺有奇春日冰解洪濤洶湧挾大塊以相冲激聲聞極數十里外蓋河中之天然一連鎖也苟于此間鎔鐵爲閘利用機關以司啓閉則上下游之水量即可酌劑盈虚隨人意以爲高下然此固非今日所急需矣余審視淤痕所積每年不過一分加以雨力之淋洗風力之運搬雖極之千年其增高亦不過數尺觀于寗夏諸渠近者開自李唐遠者開自秦漢灌注疏通于今未艾固不聞其以積高爲患也以故天橋置閘猶必待之千百年後彼其時人智既進自有能者爲之今日之計但于河套以内廣開渠道以資分洩而利田疇焉斯則大功已告成矣昔劉繼莊先生有言有聖人起經理天下必自西北水利始余則謂經理西北水利尤必自河套始故特綜其始末以俟開物成務之聖人擇焉

按河套與治河之關係係由張相文君西北調查記內所節錄其中所述黃河沿革變遷及歷次決口情形甚爲詳細並實地勘查所得如河套之地勢山川之位置渠墾之興廢實施之計畫均與此次調查相關足以參考之處甚多爰附編末用備參閱

黃河根本籌治意見書

黃河發源於巴顏喀喇山東會星宿海貫札陵鄂陵二湖盤積石西傾高地東迤至中衛皆行山峽間自中衛而東入於河套繚繞迴環極千餘里至托克托兩岸坡度漸起南抵天橋復行山峽經龍門潼關又東折過三門激砥柱至孟津出峽而入平原東行由利津入於渤海河長八千里流域達二百五十萬方里幹支所及爲青海綏遠兩區域及秦晉隴豫燕齊等六省爲我國文化起原自有史以來固昭昭可攷者也乃博稽古籍自禹平水土而後河之爲害史不

絕書影響及於他水擾害中原歷經數千載凡禹貢青徐兗豫四州之域接壤平原縱橫千里膏腴之田動罹昏墊其害國家糜帑修守無歲無之而究因何故不可不知其歷史之沿革與夫地理人工種種關係茲試表之藉以察往知來庶其有所稽攷耳

(甲)黃河下游地理沿革表

朝代	紀年 中歷	紀年 西歷	流略	歷時	附記
唐堯	常堯八十載	2278	禹貢導河自積石至龍門東過洛內至於大坯北過降水至於大陸又北播爲九河同爲逆河入於海	起	禹貢導河成功
商	河亶甲丁亥	前1534	河亶甲元年祀徙都於相注河亶甲立是時囂有河決之患遂自囂遷於相	七四五年	河始爲患
周	定王五年乙未	前612年	河徙宿胥口東行漯川至長壽津與漯別東北至成平復合禹故瀆至漳武入海	九三二年	自禹貢導河成功之年至是歷一千六百七十七年河始徙

朝代	年號	干支	年	事蹟	相距年數	備考
秦	始皇帝二十二年	丙子	前255年	王賁攻魏引河溝灌大梁大梁城壞	三四七年	河水始有南向
漢	武帝元光三年	己酉	前132年	河決濮陽瓠子口東南注鉅野侵淮泗梁楚之地被災尤甚	一二三年	河始患淮泗
	武帝			武帝自宣房塞後河復北決館陶分爲屯氏河東北經魏郡清河入渤海		屯氏之分史不言其年代然爲時必短
	元帝永光四年	辛巳	前40年	河決清河靈鳴犢口屯氏河復絕其後遂由千乘入海	九二年	河始害濟
	王莽始建國三年	辛未	後11年	河決魏郡泛清河平原至千乘入海北瀆遂空	五一年	自周定王五年河徙至是歷六百十二年河再徙
	明帝永平十三年	庚午	後70年	王景修汴渠築堤自滎陽東至千乘海口千餘里次年渠成	五九年	
宋	太宗太平興國三年	戊寅	後978年	河大決滑州泛澶濮曹濟東南流至彭城入於海	九〇八年	

年號	干支	公元	事略	相距	備考
眞宗咸平三年	庚子	後1000年	河決鄆州浮鉅野入淮泗	二二年	
眞宗天禧三年	己未	1019年	河決滑州歷澶濮曹鄆注梁山濼合清水古汴渠東入於海	一九年	
仁宗景佑四年	丁丑	1037	河決橫隴遂爲大河經流東京之故道廢	一八年	
仁宗慶歷八年	戊子	1048	河決商胡合永濟渠注乾甯軍入海是爲北流	一一年	自王莽始建國三年至是歷一千〇三十七年河第三次徙
仁宗嘉祐五年	庚子	1060	北流復決爲二渠自魏恩東至德滄入海是爲東流	一二年	
神宗熙甯九年	丙辰	1076	河決澶州曹村澶淵北流斷絕河道南徙東會於梁山張澤濼分爲二渠一合南淸河入淮一合北淸河入海次年塞	一六年	
哲宗元符二年	己卯	1099	河決內黃東流斷絕	二三年	

世宗 大定年		此事不見金史范成大北使錄濬州城內有積水若河蓋黃河剩水也朱子語錄元豐間河北徙自是中原多事後來南流金人亦多事近來又北流見歸正人說蓋是時河當南流尋復北流也	約六〇年	
章宗 明昌五年 甲寅	1194	河決陽武淤堤灌封邱而東注梁山濼分爲二派北派由北清河入海南派由南清河入淮吸昨之流遂空	約三五年	自宋仁宗慶歷八年至是歷一百四十六年河第四次徙
世祖 至元九年 壬申	1272	河決新鄉廣盈倉徙自原武出陽武南而新鄉之流遂絕	七八年	
成宗 大德元年 丁酉		河決杞縣浦口旋徙而北自陳留入蘭陽儀封	十三年	
泰定帝 元年 甲子	1324	河決開封由汴渠東入徐合淮泗入海	三九年	
順帝 至正四年 甲申	1344	河決金堤北侵安山沼入會通運河延袤於濟南河間	二〇年	
順帝 至正二十六年 丙午	1366	河北徙東明曹濮濟寧皆被災	二二年	

明

廟號	年號	干支	西曆	事蹟	間隔
太祖	洪武八年	乙卯	1375	大河南決挾潁入淮蔡河之下流漸絕	九年
太祖	洪武二十四年	辛未	1391	河決原武之黑陽山東經開封城北又南行至項城經潁州壽州至入於淮而故道遂淤	一六年
成祖	永樂十四年	丙午	1416	河決開封經懷遠縣由渦河入淮	二五年
英宗	正統十二年	丁卯	1447	河決沙灣入海尋決滎澤入淮	三一年
英宗	正統十三年	戊辰	1448	河徙開封而北入汴至壽州入淮又決滎陽東至開封而南經陳留自亳入渦口經蒙城至懷遠入淮	一年
景帝	天順五年	辛巳	1461	河自武陟徙原武而獲嘉之流絕	一三年
孝宗	弘治二年	己酉	1429	河決汴城入淮復決黃陵岡入海	二八年

調查河套報告書　附件　三百九十

廟號	年號	干支	公元	事	年數
孝宗	弘治五年	壬子	1492	河決湯家金龍等口東注潰黃陵崗下張秋堤入漕河與汶水合而北行	三年
孝宗	弘治六年	癸丑	1493	河決張新東堤奪汶水入海	一年
孝宗	弘治七年	甲寅	1494	劉大夏築太行堤北流遂絕始以一淮受全河之水	一年
孝宗	弘治十八年	乙丑	1505	河北徙三百里至宿遷縣小口入漕河	一一年
武宗	正德二年	丁卯	1507	河徙入泡河大水壞民居	二年
武宗	正德四年	己巳	1509	河北徙一百二十里至沛縣飛雲橋入漕河	二年
武宗	正德五年	庚午	1510	河北徙儀封縣小宋集冲黃陵崗溢入賈魯河	一年

自金章宗明至是歷三百五次徙

帝號	年號	干支	公元	事略	間隔
世宗	嘉靖九年	庚寅	1530	河自沛縣北徙金鄉魚台出谷亭口	二〇年
世宗	嘉靖十三年	甲午	1534	河決趙坡塞南向亳泗東出穀亭之流絕	四年
世宗	嘉靖十九年	庚子	1540	河決野雞崗由渦河入淮	六年
世宗	嘉靖三十七年	戊午	1558	河北徙新集淤而爲陸二百五十餘里視故道高三丈有奇	一八年
神宗	萬歷十七年	己丑	1589	河由李景高口決入睢陳故道	三一年
神宗	萬歷二十五年	丁酉	1597	河決黃堌口經符離橋出宿遷新河口入大河半由徐州入舊河濟運而二洪告涸	八年
神宗	萬歷三十年	壬寅	1602	河決蒙墻寺入歸德南與淮會入洪澤湖	五年

廟號	年號	干支	公元	事略	相距
神宗	萬歷三十二年	戊午	1604	河決米旺口蕩漾三載至徙于溝而定	二年
神宗	萬歷四十六年	戊午	1618	河決皮沙堤由封邱曹單至考城復入舊黃河	一四年
熹宗	天啓元年	辛酉	1621	河決靈璧由永姬湖出白洋小口與黃會故道湮堙	三年
熹宗	天啓三年	癸亥	1623	河決徐州大龍口徐邳靈睢河並淤雙溝河亦淤上下百五十里俱成平陸	二年
懷宗	崇禎十六年	癸未	1643	河決汴城南入於渦	二〇年

清

廟號	年號	干支	公元	事略	相距
世祖	順治九年	壬辰	1652	河決封邱由長垣趨東昌壞安平堤北入海	九年
聖祖	康熙六十年	辛丑	1721	河決武涉下大清河入海	六九年

廟號	年號	干支	公元	事件	間隔
高宗	乾隆十六年	辛未	1751	河決陽武下張新入海	三〇年
高宗	乾隆二十六年	辛巳	1761	河決中牟奪渦入淮	一〇年
高宗	乾隆四十五年	庚子	1780	河決儀封考城奪渦入淮	一九年
高宗	乾隆五十二年	丙午	1786	河決睢州南入渦淮	六年
仁宗	嘉慶三年	戊午	1798	河決睢州全由亳州入洪澤湖	一二年
仁宗	嘉慶二十四年	乙卯	1819	河決武涉注張秋東北入海	二一年
宣宗	道光二十年	庚子	1840	河決祥符南岸下注鳳潁奪淮	二一年

調查河套報告書　附件　　三百九十四

帝號	年號	干支	西曆	事略	年數	備考
宣宗	道光二十三年	癸卯	1843	河決中牟南岸由鳳潁入淮	三年	
文宗	咸豐五年	乙卯	1855	河決銅瓦廂奪大清河至利津鐵門關入海	一二年	自明孝宗弘治七年至是歷三百六十一年河第六次徙爲今河
德宗	光緒九年	癸未	1883	河水泛溢因是築兩岸之堤以至海口兩岸之距由十餘里至二十餘里後二年河水漸高於地由十五呎至二十呎	二八年	
德宗	光緒十六年	庚寅	1890	韓家垣決正流趨東所經之鐵門關正軌已橫截作堤	七年	
德宗	光緒十七年	辛卯	1891	河決鄭州南入洪澤湖	一年	
德宗	光緒二十四年	戊戌	1898	河決距濟南四十里王家梨行害田至二百平方英里積沙之量達一萬六千兆立方呎	七年	
德宗	光緒二十六年	庚子	1900	河南徙濱蒲交界之馬仙王莊經蒲台城南至五里莊仍歸舊河今蒲台城徙入北岸	二年	

民國元年壬子 1912 河決濮陽雙合領至阿城上之壩頭復歸舊河民國四年塞之糜帑六百萬元 一二年

自禹貢河成功之年起至清文宗咸豐五年止前後計四千一百三十三年大河經流之改徙凡六次其徙潰之著而未爲經流者六十餘次至於暫决復塞者不與焉

(乙)河套地理沿革表

禹貢雍州之域

戰國屬趙史記趙武靈王二十六年復攻中山攘地北至燕代西至九原是爲漢族佔領河套之始二十七年西北略地從雲中九原直南襲秦後趙衰匈奴入居河南

秦始皇帝三十三年使蒙恬逐匈奴收河南地以爲四十四縣又渡據陰山逶

迤西北謂其地爲新秦徙民實之寧夏水利溝渠由此始三十五年始皇崩天下大亂匈奴復奪其地

漢武帝元朔二年逐匈奴遣衛青渡河歷高闕收河南地主父偃言河南地肥饒外阻河蒙恬城之以逐匈奴內省轉輸戍漕廣中國備邊之本也乃集朔方城立朔方郡繕蒙恬故城因河爲固朔方西河皆引河灌田各數萬頃官士卒六萬餘

東漢永平中置度遼將軍屯營曼伯以防南北匈奴已而北匈奴耗南單于請復障塞乃增置緣邊諸郡列屯塞下順帝永建初隴西羌亂西河上郡皆殘破四年虞詡上疏謂三郡沃野水草豐美土宜產牧宜復城邑事耕屯從之於是激河濬渠爲屯田省內郡費以億計

東漢建安二十年省雲中定襄五原朔方郡郡置一縣領其民合以爲新興郡

魏晉時中原多故套地淪於異域未幾拓跋氏興盛樂兼有河西開富平西三十里艾山支渠通河水溉公私之田四萬頃大獲利

隋開皇中於河南置豐勝二州

唐景龍二年張仁愿於河北岸築三受降城以拂雲推爲中城與東西二城相去各四百里於牛頭牟那山置烽堠一千八百所開元二年移安北都護府於中城置屯田

元和六年韓重華募人十五屯屯置百三十人而種百頃東起振武西至雲中界極於中城出入河山之際六百餘里屯壄相望人得肆耕其中歲省度支錢千三百萬唐末河套之地爲西夏所據

元太祖破遼青塚乃由東勝渡河收西夏地用郭守敬精研水利循黃河測量地平高下而元人享國日淺故祗能修復寧夏唐來漢延各渠而套地未遑

顧問

明初李文忠公定大同西略豐州遂城勝州以統套內之地俟軍士耕牧其中寖寖乎有復漢唐之舊矣乃永樂初移治延綏至天順六年元裔毛古里孩等乘虛入而據之

淸以伊克昭盟七旗合烏拉特土默特阿拉善等部河套內外悉隸版圖惟設私墾之禁故套地依然荒落

康熙西征秦晉貧民相與負來而往先使土默特與之同化

乾隆間遂越包頭而至後套浚渠耕田道途相屬惟疆吏區畫未得其人故購塍縱橫不中程式雖然大河南北固已漸化游牧之風爲鑿井耕田之世矣而河套地理沿革大略如是

由是以觀河流之遷徙有數年一變者有數十年或數百年一變者然自孟津

以上禹跡俱存以海爲壑則古今不易也盖孟津以上兩岸山峯重叠河行其間無利亦無害下則平原莽莽土性疏浮河挾其湍湃之勢縱横衝决故多改徙其徙𥁞之地點要不出澶滑陽武蘭封之間其由北道者必經漳衛至津沽以入海由東道必經濟漯至濱棣以入海由南道者必經淮泗至漣阜以入海故此數川流域北起永定河南至揚子江西起太行伏牛大別等山之東麓東至大海除山東半島外凡直魯豫蘇皖五省境内接壤平原百餘萬方里今昔患水之區要皆爲黄河影響所致此地理之關係者一

禹貢之後七百餘年河始爲患千六百餘年河始徙西漢時河患漸多至宋明而極清乂次之金元南北分流得其中數惟東漢下至李唐河流順軌幾及千年直於禹河爭烈究以何故而能致此不難借學理以解之三代之時草昧初開邊荒之地人跡罕至遥想其時平原則草長瀰漫山間則森林遍野防沙遏

水有天然之能是故禹河歷千餘載而不之變也戰國之後人化漸進趨勢競爭下逮漢武兵戈擾攘恒無虚歲疆場之役一彼一此遂使大河流域洪荒時代之叢樹深林摧殘焚燬山谿之間同歸躍躍於是天然之功用失而西漢之河患屢矣此森林之關係者二

自漢武帝宣房塞後用事者爭言水利西河朔方皆引河溉田下歷東漢以至隋唐屯墾戍守建設不廢而套中溝澮容水之量直無異長江之有洞庭鄱陽諸水庫爲之瀦故東漢以後河歷千載而不變實收河套屯墾間接之功用也明矣唐末河套之地已爲西夏所據惟興州靈州引河溉田若河東河北則分屬於遼遼亡夏金之爭幾無寧歲至是漢唐屯墾之制殆已盡棄及元季雖有郭守敬研精水利亦但及於寧夏一隅若寧夏以東則未遑顧問蓋因元人之有國日淺也明人則畢延綏以北盡歸蒙古而蒙人不知水利之講求故套地

之荒落僅以供遊牧之場此宋明之河患所以日亟也清主中原亦沿舊制至雍乾之世始復鑿渠耕田之事業此又有清河患之少於宋明之原因也總而言之河套墾闢既興必廣開溝渠以資澆灌是與治河有相因而及之勢否則潢汚行潦之水皆助河爲虐也此河套農墾之關係者三

我國治河自禹之後惟稱賈讓三策其上策主議徙民不與水爭地中策主議開水門溉田以殺水勢下策乃繕完故堤培薄增卑此三策者上策宜於古至漢時已未能實用令者人稠地少不必置論矣中策王景用之功垂千載河始遷變攷景立水門令更相洄注時大河左右名藪巨浸尤不失吐納之能迨後河淤墳積再歲而高失其效用故至宋季中策復不可行宋元以次有賈魯三法亦不過小補如潘季馴靳輔諸公雖號一世治河之能臣然所行之法大抵賈讓所謂之下策也攷之地理自滎澤而東大河所經之地堤跡重疊舊槽高

過地平以上可知因堤爲深之河政不足以持久遠之計此人工之關係者四
黄河源遠流長受雨地區之廣已如前說攷其瀦水之地祇札陵鄂陵二湖然面積亦不甚大而河套向爲蓄水之區今則地層淤高水不能及僅甯夏與後套灌田之外別無瀦水之地故河流消漲之迅急含沙成分之特殊在上游傾斜之地水不減運輸之力一至中土平曠夷行之地水勢流緩黄沙增墊故河床之敗壞海口之淤高決溢之害所由來也此因少瀦水之關係者五
距今六十一年即清文宗咸豐五年銅瓦廂告決河徙奪大清河入海初大清河寬至三里深及六丈足以容洩巨流後因河底沈沙未三十年河床增高遂生泛溢因復自滎澤築堤以至海口後二年水高於地由十五英尺至二十英尺決溢亦屢矣據太樂測驗自一千八百八十三年至一千九百零三年其二十年間河底實已增高十五英尺則河床之日益飆敗顯而易見兼之海口高

仰一旦失其宣洩之靈將叉何途之歸是以徵諸已往之故道參之最近之地形不得不籌及黄河之將來至於改徙之道雖不能預定然以地形之高低水性之就下勢有必然之趨向今所當研究者在潰决之地點耳美國工程師團前次勘淮首亦注意於此因在開封左近多方考察蓋恐在導淮期内黄河南徙彼爲投資慎重起見可知黄河關係下游水道影響之大也此最近地理與河道之敗壞種種關係者六

嗚呼河患有如彼種種關係司河事者而不之察徒以捧土塡堤扼其衝要一至伏秋汛至波浪上、堤則朝野皇皇如臨大敵迨節屆霜清幸而不敗始慶一歲之安曩者濮陽之役千里爲墟糜帑數百萬始經堵合以今例昔成事可徵然則國家之費於此者何可勝計方今科學昌明技術日進事無不治端在人爲閘之萊因河其害與我黄河相似彼荷蘭立國於其下游能精研水利乃得萊因之益然則黄河非不可治而難於謀治之始耳苟欲爲根本之至計藉成永遠之圖亦斷非默守成功所能奏效愼終於始須當胸有全河斯可以言治矣茲乃博搜古本之所記羣採最近之輿圖利害關係亦昭昭可攷因編繪黄河流域及其變遷之圖一覽之下得了然全體由是粗述管見四端曰調劑水源曰滙納暴漲曰整理河身曰疏浚海口執此綱維先事精測以立工程之基礎庶其不甚懸絕耶請繼此以言計畫

（一）調劑水源

何以言調劑水源也山勢高而水性下一遇霖雨則陡然奔注至河床不能容受而毫無停蓄不幸亢旱則難乎爲繼何如紆留其水俟霪雨之後不即傾瀉時而乏雨泉膏滋潤仍源源不竭是以曲其直而緩其急殺其力而節其破壞俟水盤行而下紆徐不迫則水之上流滯而下流安矣然則何如調劑也曰山

植森林而已矣黄河流域自孟津而上山居十之六七其山系之大者若積石若賀蘭若西傾若六盤若呂梁若秦梁若太行若太岳若陰若岷若槁若梁等山靡望皆童不毛十有七八則山巔之水何爲而不陡下設使山有森林則木本排比根株盤結枝條低拂落葉瀰漫水之直流者曲矣急流者緩矣曲且緩則水力弱剝蝕泥沙者鮮且根株有吸水之力落有滯水之能水含於中徐徐而下誠如是也則河無暴漲何由而泛水鮮挾淤何由而壅不泛不壅河道豈有改徙之理禹河歷千載而不變是非古代深山叢樹遏水防沙天然贊助以成此偉功乎况森林爲文明國之表示近者歐西各國精研水利無不並重森林據最近調查荷蘭瑞典及俄羅斯諸邦其森林面積幾居全國土地之半其他森林少之諸國亦十之二三我國自三代之後無復斧斤以時入山林之禁令致今需用木材悉以仰給東西洋爲外府可不痛惜也哉民國成立有鑒於

此初設農林部定有山林專條今方計畫進行之始莫若就河域荒山劃分林區別爲國有民有官爲之導先行栽種以爲模範基礎既定逐漸推廣准許民間組織公司明定保林章約限期栽種至凡屬民產之荒山責令私家種樹按面組之多寡定年栽秧本若干合國有民有之區一律期以十年栽種竣事則費積十數載之經營可獲億萬年之利益圖在甲而功及乙何弗爲之此遍植森林調劑水源爲根本籌治者一

（二）滙納暴漲

何以言滙納暴漲也水有納之地則無病乎溢有滙之地則無憂乎竭彼長江之源青海夾瞿塘水流非不急也然而無决者有洞庭鄱陽諸湖爲之納也彼運河過戴村繞泰岱非有源之水也然而無涸者有蜀山昭陽等湖爲之滙也納與滙並用則潦與旱俱絕明乎此黄河消息盈虚之道可知矣然則如何而

後滙納也曰墾闢河套而已矣河套地居塞外三面環河面積約三十六萬方里今屬之綏遠特別區域考其地在古代爲內海後由冲積地層而土性粘軟必藉河水浸灌之而資種植收獲頗豐故有黃河百害惟富一套之諺也上年地學會會長張蔚西君曾經調查謂前清公私所墾多在後套漢時所謂南北兩河間也顧當時規劃既未周詳而所開渠道又復多湮灌輸不廣此則急宜改作者也至於南河之南今則謂之河西其地三面環河南亘沙梁相其地層紋理宛然蓋皆河水冲激而成者可知其生殖之力不亞後套矣惟比之後套地勢較高河水之泛溢不能及之雖有漢民墾種不逮十之五六今如由西河上流磴口以下諸處因其天然之形就沙梁以北廣開橫渠一道使南北兩河相並而東至托城之西與古沙陵湖相滙後由橫渠北岸多鑿支渠隨鑿隨墾資其租入以贍工作河渠之上則多植榆柳以固之于是而南河之南沙梁之

北凡鄂托杭錦達拉特準噶爾諸旗地悉可變爲腴田且自西河以抵托城其直徑不及千里約計鑿渠所耗不及千萬此則豫東兩省數年防河之費耳河渠既開乃爲上流闢無盡藏之利源以視堵塞下流徒爲無底之漏卮者其得失爲何如耶是說也余甚韙之然余之意猶有進者則井田是也考井田之制昉自黃帝三代因之至于秦漸漸滅自商鞅開阡陌而井田舊制掃地無餘于是井田之利不可見而後世有言井田者經濟家輒以爲詬病不知地有可井者有不可井者衍沃之土可井杜預之說是也且河套平原莽莽無高山大澤爲之障害也無城廓廬舍爲之蒙蔽也規之爲井而周禮遂人所載凡所爲遂爲溝爲洫爲澮之制可再見矣藉曰不可行也何以南通張嗇公於通之呂四開墾荒地規劃佈置頗得井田之遺意不數年而其效大著于今之河套亦仿行之其利之所在當不可以億計今茲規劃按河套之面積三十六萬方里

除畜牧之場値林之區以及沙梁等不可耕種之地通計以三分之一爲可耕者劃三萬方里爲兵區分屯一千計照頒定營制屯各一營授地三十方里又劃八萬一千方里爲民區亦分屯一千計照墾荒條例施行之屯各八十一方里其溝渠面積準以公例約得墾地三十分之一則溝渠所佔面積當不下五六千方里黃河巨浸既溉十一萬餘方里之田復有五千方里溝渠容滙雖至伏秋汛漲其不容于套者亦已微矣然則祗餘龍門以下汾渭沁洛諸水即有暴發之患亦可自下游治理之至若墾地計劃如兵屯之制即以戍邊及繼續裁遣之軍隊或將來退伍者編制之照現今之營制每兵受地三十畝劃三百畝爲一小區區劃五段環區浚溝以明界蓄水分壠析段再設溝塍而區與區之間必有橋道溝澮舟楫可通設閘放閉以資輸運一段之耕作二人共之一區之耕作十人共之合十二小區爲一中區移兵百二十戶連長率之而每

一中區必有一小區之地爲公田購集各種新式農具試驗比較擇其佳者自行仿造分布各兵其土質肥料以及農事之副產品分別研究盡善盡美合四中區爲一大區屯兵五百戶營長率之而每一大區必有二小區之地爲公田設立市街以便交易若農事試驗場講習所測候所小學校亦宜規劃之每一大區墾地一萬四千四百畝公田一千八百畝合三十方里溝渠約一方里凡兵必令其挈帶妻孥爲永遠移家之計庶兵與田相依爲命此兵屯之制之大略也民屯之制照井田之法劃方一里爲一小區區分九份一份爲公田屯民八戶各六十畝合八小區爲一中區另以一小區之地爲公田中區有村村有長合八中區爲一大區即一民屯另以一中區之地爲公田有市市有長小區環以溝廣丈五中區有澮三丈大區有渠即屯渠廣六丈溝澮俱通渠而支而幹而河舟楫往來而區與區有橋道合計一大區屯民五百二十戶墾田三萬

零七百二十畝公田村市一萬三千零二十畝計八十一方里溝二方里有七田別等差由民繳價報領或由公司承攬招民墾種但疆理區劃須有一定此民屯之制大略也至規劃之程序假定期以十年第一年設立兵屯一百民屯亦一百即以民屯所收之繳價內去有關蒙古王公之條例所餘之款爲兵屯鍬鋤營舍等費先從後套及大河之旁近劃定地段著手國家籌銀二千萬元爲開渠基本經費第二年設立兵屯民屯仍各一百佈置與第一年同就大河旁近及幹渠旁近劃定地段實行之而第一年屯兵一百營之餉以二成給各兵購辦種子與農具之補助其餘八成作爲支渠開闢費第三年設立兵屯民屯仍各一百屯由幹渠之旁近劃分地段實行之騰出第一二年之二百營屯兵之餉除例給種子農具之外餘款繼續以開支渠第四年至第十年每年設立兵屯民屯仍各一百屯然第四年即有一百兵屯租税與一百民屯之常税

收入兵屯每畝租稅假定五角每屯收入七千二百元民屯每畝常稅假定二角每屯收入六千一百四十四元合計兵民二百屯收入一百三十三萬四千四百元第五年倍之第六年三倍之至第十年以後每年則一千三百餘萬元由此言之國家之所費基本金二千萬元而養民百萬戶歲增租稅一千三百萬元且河套墾闢以後需水已多下游爲患之勢自可減免而河防之費亦斷能減少拔斯民出水火永登衽蓆誠一舉數得之策也此以墾闢河套利用河水溉田藉溝渠以滙納暴漲爲根本籌治者二

(三) 整理河身

巨川下游在平衍之中流緩沙停積累洲堵依自然之趨勢徐徐移動河槽而黄河決益劇烈影響至巨固人事有所造成亦由於急溜散沙不能凝結洲堵隨處墊高其河床山東半島又阻其尾遂輾轉於魯之南北恒使河道有非常

之變欲使河流順軌進行須審知地勢之傾斜河床之深廣所需行水之量施以相當之方法務使深淺合度水面下常保相等之橫斷面積則常年之中流速有定無氾濫與涸之虞矣試舉補救方法如次

一曰修遥堤約欄水勢也黃河滙百川而鮮有瀦水之地汎漲勢難一河所能容洩況自孟津而下地勢平衍不堤則漫溢無邊堤之復虞潰決考堤防之制起自戰國然其時兩堤之距不下五十里後世如潘靳諸公治河方略首重於堤蓋亦有遥縷之別縷堤逼臨河濱用以束水攻沙遥堤則去河五七里十數里不等用以束攔暴漲庶縷堤不幸而決水至遥堤而止即以殺其勢非如今之河堤逼近水邊之危險查自咸豐五年銅瓦廂決河奪大清河改自利津入海始而大清河深寬容洩量裕如迺沉淤日久至光緒九年氾濫由是自滎陽兩岸築堤以達海口兩堤之距自十餘里至二十餘里名爲官堤以防漫溢設

置亦稱周密乃後二年附近居民爲保全濱河田產臨河建築名爲民埝而官堤由是任其坍塌矣自民埝設立以後河水之增高漸至地面一二丈故至光緒十七年有鄭州之決二十四年有濟南王家梨行之決及民國元年又有濮陽雙合嶺之決幸所決之處未成徑流然損害民田已不下數千頃糜費公款至數百萬而私家損失不與焉由此可知臨河築堤之害亦可見遙堤之不可無也蓋遙堤之用以備水出民埝得有游波之地即有河床內田禾損失亦斷不至較決溢成災及堤塞之費爲重也且河多一次溢決河槽即多一次增高以至河道改徙原有建築之成績盡棄復謀設施公私損失又復幾何爲今之計莫若規復官堤就原有基址嚴加修整廣植榆柳以固堤根設或民堤決溢有此預爲之備庶不至漫溢無收以免潰決之禍惟官堤之外民堤之內宜多築橫堤俾水出民堤之後遇橫堤即止非至異常盛漲之年不必使遙堤以內

之地盡受損害卽有不能幸免之地亦應由公家酌賠損失而轉徵之於他受益地畝理宜樂從況此等担負多則二十年上游森林與河套之成績已著則普慶安瀾定無永負之累也

一曰固縷堤束水攻淤也古本記河水一石含沙六斗西人目之爲世界第一濁流泰樂黃河雜記言河水每年挾沙一萬七千五百兆立方呎此皆足以證黃河含沙成分之特多也此等濁流按之學理惟有增其水速俾淤隨流去不使停積於河床其法須大其流水半徑小其横斷面積即減河之闊而增河之深也或用浚或用築或浚築並用然黃河之害有二要點治理者不可不知一爲洪水時常高於地面二爲河底留淤甚深若是者浚之工大而費重築之工省而費輕果能築之得當俾水流暢行非特淤隨水去且可借水力自鑿河槽潘季馴四任河事惟築堤束水束水以攻淤之二語後世尤稱之故整理河身

利用縷堤亦一要端

一曰挑引河以改良流路也黄河自孟津以下地層爲冲積平原土性疏散急流濁水終演成曲屈河形夫水濁則富有含淤流急則富於搬運設利導之以整齊流路使流心不偏不倚則搬運力處處相同而淤沙沉澱力亦少若流心偏倚一方則一河之中流速左右各不相等則一邊流速急剝蝕力增一邊流速緩沉澱物多於是河形漸就曲突上游曲向下流心不能與兩岸平行必偏向一岸前進遇岸生阻方向又變對此岸若是者愈營愈曲此險工之所由來也於是有河防之設曰風防雨防晝防夜防名目衆多無煩備載其建設有臨險築埽有背險月堤復有建挑壩開引河實則築埽當河之衝未有不敗者即或幸免且當歲歲爲之其勞費何可勝述月堤則退避其鋒而河性洶悍得寸進尺及至河形愈變險者愈險不若挑壩拍其勢引河導其流借水力以自治

權衡尚可由人操縱久之流路自改矣清聖祖南巡諭黄河險工頂溜灣處須挑挖引河蓋亦改良流路之意惜當時技術欠精且未與挑壩並用未遂大效一曰改造地面使水平線减低以固河道也黄河自孟津而東地平低下洪水地上行藉堤防以約之不過一時急救之法未嘗以保永久之不變也聞黄河濱近低窪之地甚多時或有水不能耕種棄之誠爲可惜何如擇其面積較廣者建築圈堤復賈讓之中策開陡門引河水以注之其淺者仿江南水田之法種稻以盡地利深者則爲水庫俾黄河暴漲有以回注之所則漫溢爲患之勢自可減少而河水含淤肥美質量豐富沉澱之速不十數年澇區而易爲沃壤矣考南河低地受此益良多前人審之已熟不自今日始也一俟此處填滿再轉移他處逐漸推行地面漸高水平線自降而河流安矣以上四法整理河身爲根本籌治者三

（四）疏浚海口

禹貢紀河至於大陸播爲九河同爲逆河入於海蓋以河入海水勢散漫輸運力消而海潮頂托濁水沉淤故以九河之力同爲一力輸送濁水逆海而入不使遺淤海口故能功垂久遠而河不變也自九河失道後世治河者亦無浚海之良方聽海口之壅塞以致宣洩不靈決溢頻繼改徙無常而外阻於舟楫往來至失交通之利然則治河能不以海口爲重耶考之河奪大清河初由鐵門關入海歷今不過六十年而海幾易今則鐵門關去海已六十里矣現時河路形如網絡支幹不分小潮帆船不能外達其海口之淤淺已可概見矣前比國工程師來東勘河曾有建議擬築海口石堤直達海之深處意在束流攻淤法固良善惟工大費鉅當此國庫空虛恐難辦到即或能之亦非久遠之圖數十年後又將淤至堤端前功盡沒不若權宜行事用一接築接浚之法擇一較深

較順之流作爲河尾其末端以中等之海水位灘脚爲止計排水之大小定河度之廣深利用挖泥機船往來疏浚即以所浚之泥培築兩岸之堤堤之高以河水不旁洩海潮不旁進爲度使河有束縛之力攻淤入海則海口自無壅墊之虞數年之後口外又有新淤仍用此法接續浚築庶工省費輕收效絕大尾閭既通不特河水暢行無阻即大小汽船直達海洋交通便利將來黃河口岸闢爲商場亦意中事耳再河尾兩旁新淤灘地濱海則築以環堤臨河酌留水門俾海潮上溯河水灌入灘中沉淤於內潮退則灘中之水由水門洄注以助河力攻淤而灘地卑者漸高成田亦速是籌治海口所宜計及者也此以接續浚築海口束水攻淤爲根本籌治者四

以上四端籌治綱要略已俱舉至於施工之程序則宜劃分三區第一區以黃河海口起點至天橋爲止凡屬整理河身與浚築海口之計畫預估工費以二

千萬元第二區以天橋起點至中衛止屬於河套墾闢計畫擬開浚渠道預估工費（計見第二規畫）二千萬元第三區以本河流域之荒山爲範圍凡屬森林計畫預估經費一千萬元綜三區之設施綱要基本經費當爲五千萬元即以十年期限每年亦必五百萬元之數方爲有濟而籌之之法有三曰撥公款曰籌民捐曰借外債蓋籌治黃河以培植森林與墾闢河套爲實事中絕大之事業今者農部計畫森林與墾荒之舉正在進行由此項撥款興辦理出當然此其一也援照黃河經過省分塞決之例按畝抽捐或發行水利公債證券優給子金分年還本而以河套墾地純利收入用爲抵償以存大信用黃河流域之資財辦黃河流域之水利權操於己利益均佔此其二也公款民捐籌有的數則可先行舉辦若復不足則借外資以補助之果不浪費且能成功雖出利息得勝於失則借債亦稱勝算此其三也

雖然此種大計畫需基本金至五千萬元畢工之後利益何在實爲惟一問題茲就河套墾地範圍直接指出地畝捐稅（計第二規畫）收入已見前說他如森林以調劑水旱木材以充國人之需海口浚則航路交通商業得以發展稅源得以增活河身整則水流舒暢無氾濫之災則濱潦之逼同爲沃壤所謂裨益國計民生者誠在此舉矣謹議

按黃河根本籌治意見書係山東南運湖河籌辦處所編其中所述籌治黃河根本計畫如調劑水源滙納暴漲整理河身疏浚海口並歷次潰決之原因以及將來實施之計畫均以河套爲莫大之關健爰附編末用備參考

附測量規劃經費預算書

黃河籌治要端已概述於前而履行第一要義則惟精密測量以求完備之圖

册然後按圖稽册計劃工程則事半功倍如操左券以待矣即考禹貢治水望山川之形定高下之勢爲因勾股之數而元郭守敬陳凡水利治河之事亦以海面較京師至汴京定其高下之差又自孟門而東沿黄河故道縱横數百里測量地平將以分殺河勢此治水必以測量爲本古人固已籌之熟矣近世如巴拏馬運河溝通太平洋與大西洋長僅五十哩而保有八十五呎水面之高下交通以便荷蘭立國於海平綫之次日與水爭地民率以康他如西人拓土殖民如新英倫新西蘭等地工事之成績條理井井抑知創始之初其於種種關係恒經數年或數十年之勘測研究不遺餘力乃能舉措悉當成此偉功不然豈有能無毫釐千里之誤也哉聞之美人之言黄河濁流以四十八小時廻旋達七尺之徑五百呎之深不預測水力遽施要工未有不敗者又比國工程師路法爾氏前來勘河雖有建議率以未能按圖索驥爲憾而一再以從事測

繪鄭重聲明爲信圖事未備種種計畫無可爲考證之資是整理黄河必從精測入手其庶幾不甚懸遠爰定測量辦法暨經費預算書附揭於後

（一）第一區

區域　由黄河口起經歷城開封至天橋止

要義　整理河身疏濬海口

辦法　準此要義須測三角地形水準流量以求完備之圖册其方法如次

（甲）三角　按黄河自海口至天橋流長約計三千里擬用三角鎖沿黄河内堤選布角點固以標幟而後測其角度計算各點之精確位置繪成黄河一般之骨骼而定地形之測量基礎其邊長平均以一千二百米達即約二里每日成績平均以五里計之需時六百日設班長二人班員六人測夫十二名分兩班進行每班每月以實測二十日計需十五個月加例假三個月合計需一年

半告成

（乙）地形　沿三角點布測全河形勢凡堵口險工減水堤壩一一詳其沿革注記於圖以及入河支流新舊海口之狀況尤當特別施測以成完備之圖樣茲就其區域應分二段自海口至滎澤爲一段河長一千二百里河外有民堤有官堤去河甚遠平均計之兩堤之距約爲七里則河長一千二百里以方里計約爲八千四百方里用二萬分一比例測圖每日成績以十方里計需八百四十日又自滎澤至天橋爲一段河長一千八百里祇測河道及兩岸形勢每日成績以河長五里計之需三百六十日兩段合共需時一千二百日設班長四人班員八人測夫二十人分四班進行每班每月實測以二十日計需十五個月加例假三個月合計一年半告成

（丙）幹綫水準　沿河之任一岸進行以定河流地平岸高各項之傾度及全

部水準之基礎設置石標預計自海口至滎澤每間一千米達設一所滎澤以上每間三千米達一所每日進行幹線五里計需六百日設班長二人班員四人測夫八人分爲兩班每月每班實測以二十日計幹線三千里需十五個月加例假三個月合計需一年半告成

（丁）支線水準　沿幹線所設之石標證以實地上之形勢或增或減挨次通過兩岸所有岸高水深地平河底一一測繪并其最高尋常最低之水位於是各個橫斷面以成而全部範圍內之同高綫亦可表示茲酌每一石標測一斷面約計需測九百處每日成績得一斷面（按黃河兩堤之距平均約七里滎澤以上雖不及七里而水流迅急施測亦非普通河道可比故預算每日實測以一處計）需九百日設班長三人班員六人測夫十二人分三班進行每班每月實測以二十日計需十五個月加例假三個月合計需一年半告成

(戊)流量測量　黃河流速因季候之變化故洪漲之時其速度大於平時數倍據工程家之勘估河底泥沙嘗因水流有一定之變動若遇障礙必生渦流危險實甚若不審查全域水量及來水過水含沙成分及其消長盈虛之度然後整理始有標的其設施有如左之事項

(1)量水標　所以審查水面之增減而決定其傾斜與來水過水之關係

(2)雨量計　所以統計降水之量與河水消長之關係

(3)流量　於各重要水口測驗流速及斷面計算來水過水去水之量並驗水流含沙成分及停淤之若何

以上設置須俟審定地點派員駐測茲假定十處每處測員一人測夫三人合計測員十人測夫三十人其經測時間暫以一年半但須得兩次洪漲之比較

(己)海口測量　海口爲排水唯一機關當注重測驗潮流高下及渟淤之度

以及海岸縱橫地高水深須詳細測繪製成同高線圖及斷面以爲工程設備設班長一人班員一人測夫三人專司測驗其期間暫定亦一年半計之

（庚）製圖　三角圖根用五萬分比例繪製一分每人連註記校對每日成績二十里計需一百五十日地形就原比例清製一分自滎澤至海口八千四百方里每人連註記校對每日成績二十方里需四百二十日又自滎澤至天橋一千八百里每人連註記校對每日成績十里計需一百八十日又縱斷面圖清製一份計道線三千里每人連註記校對每日成績二十里計需一百五十日又横斷面圖清製一份計九百個每人連註記校對每日成績二處計需四百五十日又製總圖一份連縮圖摹圖註記校對約二百六十日加以印圖晒圖及臨時發生事件預計三百九十日合計製圖需時二千日以五人合製除星期及寒暑例假不計外約一年半告成

按以上編製應設測繪主任一人籌畫全區測繪事務監督所屬職員攷定成績副主任一人協助主任執行各事監視員三人常川到班分任攷察以利進行書記庶務各一人傳遞丁三人所需測量經費預算表列於次

	每月預算	二年預算
主任一人	一百六十元	三千八百四十元
副主任一人	一百二十元	二千八百八十元
監視員三人	三百元	七千二百元
書記一人	三十元	七百二十元
會計一人	三十元	七百二十元
庶務一人	二十四元	五百七十六元
傳遞夫三人	三十元	七百二十元

公役六人　三十元　七百二十元　門役廚役雜役各一人茶房三人

公費　一百元　二千四百元　房租文具郵電局用消耗各品

小計八百二十四元　一萬九千七百七十六元

班長十二人　七百二十元　一萬二千九百六十元　以一年半計

班員三十五人　一千四百元　二萬五千二百元

製圖員五人　一百五十元　二千七百元

測夫八十二人　五百七十四元　一萬零三百十七元

材料費　三角標水準標量水標繪圖器　一百五十元　二千七百元　三角標一千五百所每所一元二角計一千八百元水準標九百所每所六角計五百四十元木標量水標繪圖器約三百六十元合如上數

消耗品　記載表簿紙筆繪圖用品　五十元　九百元

雜費　公物搬運船費　二百二十元　三千九百六十元　三角二班三十元幹綫二班二十元海口一班二十元支綫三班三十元流量十班一百元地形四班二十元合如上數

小計三千二百六十四元　五萬八千七百五十二元

合計七萬八千五百二十八元

開辦費五千元　經緯儀二副一千元地形儀四副一千二百元水準儀六副一千五百元六分儀一副一百元流速計十副五百元雨量計十副五十元測竿卷尺等一百五十元開局置備費五百元合如上數

總計八萬三千五百二十八元

（說明）測繪手續勢難同時並進如三角出發地形同時無所事事地形出發製圖亦無事事故于測繪各班須分期招集始無緩急之分茲擬按序辦理三角出發三月後地形出發又三月始設製圖故各班預算以一年半期內部計算二年期登明

（二）第二區

區域　自天橋至中衛南界邊城東西北環河即河套地

要義　爲河套墾闢之計劃

辦法　準此要義須測三角地形水準水量以求完備之圖册其方法如次

（甲）三角　按河套之地面積廣大三角測量若全部網羅需時既久費用亦繁茲擬用簡捷之法擇適宜路線用單三角網選布角點固以標幟而後測其角度計算各點之精確位置繪成圖根以定地形之基礎其邊長平均用一千八百米達即約三里估計幹線自天橋至中衞黄河本流幹線一道約一千八百里黄河北流幹線一道約計七百里磴口至托城幹線一道約計八百里河曲至平羅幹線一道約計八百里沿塞自横城埠至托城幹線一道約計一千二百里再定南北線六道約計三千七百里合計幹線約九千里每日成績平均五里需時一千八百日設班長三人班員九人測夫十八人分三班進行每班每月實測以二十日計需三十個月加例假六個月需時三年告成

（乙）幹線水準　沿三角定點遂一測其高低以爲地形同高線之基礎設班

員三人測夫九人附設於三角班與三角同時並進

（丙）地形　根據三角點精測地形以半米達高之同高線表示之凡墾地之面積土質分別等類河道溝渠之形狀沿革地理等以成完備之圖册茲就該區三十六萬方里視地形之繁簡定比例之等差大致可別爲三級第一級如後套及寧夏等區約計六萬方里用一萬分一比例測圖每二十方里測一閉塞圈每日成績十二方里需五千日第二級如前套將來可墾闢之地約計爲十萬方里用二萬分一比例測圖每八十一里測一閉塞圈每日成績二十五方里需四千日第三級如沙漠之地預籌繼續施行灌溉者約計爲二十萬方里用五萬分一比例測圖五百方里測一閉塞圈每日成績一百方里需二千日又後套及其他漸進開墾之地溝渠水道須預爲規畫以期完善並特別派遣測繪之事預計一千日合爲一萬二千日設班長二十人班員二十人測夫

八十人分二十班進行每班每月實測以二十日計需三十個月加例假六個月合計需時三年可成

（丁）支線水準　根據道線水準測地面之高下以達完結同高線之作圖擬設班員二十人測夫六十人附設於地形班與地形同進

（戊）水量　關係灌溉至爲重要故於河渠之來水去水及雨量雪量均須設站測驗以便統計全套水量消長盈虛兹擬建設水標雨量計記載及流速測站專員駐測暫定三處設測員三人測夫六人其期暫定三年

（庚）製圖　三角圖根用十萬分一比例繪製一份每人計記校對每日成績三十點計八千四百點需二百八十日地形圖就原比例清製一份計一萬分一圖每人連註記校對每日成績二十四方里計六萬方里需二千五百日二萬分一圖每人連註記校對每日成績五十方里計十萬方里需二千日五萬

分一圖每人連註記校對每日成績二百方里計二十萬方里需一千日清製五十萬分一總圖一份每人連註記校對縮圖摹圖需時三百日晒圖印圖及臨時發生事項預計二百日合爲六千日加例假共爲七千二百日以八人合製需時三年告成

按以上編製應設測繪主任一人副主任一人監視員三人書記會計庶務各一人傳遞夫三人所需測繪經費計算於次

	一月預算	三年半預算
主　任一人	一百八十元	七千五百六十元
副主任一人	一百五十元	六千三百元
監視員三人	三百六十元	一萬五千百二十元
書　記一人	三十五元	一千四百七十元

	一月預算	三年預算
會　計一人	三十五元	一千四百七十元
庶　務一人	三十元	一千二百六十元
傳遞夫三人	四十二元	一千七百六十四元
公　役六人	四十二元	一千七百六十四元
公　費	一百元	四千二百元
小計	九百七十四元	四萬零九百零八元
班　長二十三人	一千八百四十元	六萬六千二百四十元
班　員五十二人	二千八百六十元	十萬零二千九百六十元
班　員三人	一百三十五元	四千八百六十元
製圖員八人	二百八十元	一萬零八十元

測　夫一百七十三人一千三百八十四元　四萬九千八百二十四元

材　料三角標量水標　三百元　一萬零八百元三角標八千四百所每所平均一元二角計一萬〇八十元量水標及其他器械約計需七百二十元合如上數

消耗品記載表薄紙筆繪圖各件　九十二元　三千三百十二元

雜　費公費搬運費及船費　三百四十五元　一萬二千四百二十元

小計七千二百三十六元　二十六萬零四百九十六元

合計三十萬一千四百零四元

開辦費一萬五千元經緯儀三付一千五百元地形儀二十付六千元水準儀二十三付五千七百五十元流速計三付一百五十元雨量計三付十五元測竿卷尺繪圖器械等三百八十五元開辦費一千二百元合如上數

總計三十一萬六千四百零四元

（說明）測繪手續分爲三期第一期三角班出發三個月後再地形班出發又三個月再成立製圖班故各班預算以三年計內部預算以三年半計登明

（三）第三區

區域　以黄河流域之荒山爲範圍

要義　爲植林蓄源之計劃

辦法　測量荒山之位置面積劃分林區以求完備之圖其方法如次

（甲）測量　按黄河流域計約二百五十萬方里去已有之林已墾之地及石齒暴之山不計外以七萬二千方里必可劃爲林區用三角法選布角點建設標的測其位置及面積以及坡度高下土質土宜按十萬分一之比尺作圖每五十方里設一點計需設一萬四千四百點每日成績一百方里計需七千二百日設班長十二人班員三十六人測夫七十二人分十二班進行每班每月實測以二十日計需三十個月加年暑假六個月合計三年告成

（乙）製圖　按原比例地形圖清製一份每人連註記校對每日成績一百方

里需七百二十日清製五十萬分一總圖一份連縮圖摹圖註記校對一人需時三百六十日加晒圖印圖計畫及臨時發生事件預計以七百二十日合計需時一千八百日以二人合製需三十個月加例假六個月需時三年告成

(丙)測候所　於適宜之地籌設測候所測驗風雨氣候假定三處設觀測員三人助手三人其期暫定三年

按以上編製應設測繪主任一人副主任一人監視員一人書記會計一人庶務一人遞傳夫二人所需測繪經費計算於左

	一月預算	三年預算
主　任一人	一百八十元	六千四百八十元
副主任一人	一百五十元	五千四百元
監視員一人	一百二十元	四千三百二十元

書記一人	三十五元	一千二百六十元
會計一人	三十五元	一千二百六十元
庶務一人	三十元	一千零八十元
傳遞夫二人	二十八元	一千零零八元
公役五人	三十五元	一千二百六十元
公費	一百元	三千六百元
小計	七百十三元	二萬五千六百六十八元
班長十二人	九百六十元	三萬四千五百六十元
班員三十六人	一千九百八十元	七萬一千二百八十元
測候員三人	一百三十五元	四千八百六十元
製圖員二人	七十元	二千五百二十元

調查河套報告書　附件　四百四十

助手三人　三十元　一千零八十元

測夫七十二人五百七十六元　二萬零七百三十六元

材料三角標六百三十二元　一萬二千七百五十二元一等標一千四百四十個每個五元計七千二百元二等標一萬二千九百六十個每個一元二角計一萬五千五百五十二元合如上數

消耗品記載表簿紙筆繪圖各件　六十元　二千一百六十元

雜費公物搬運費　一百八十元　六千四百八十元

小計四千六百二十三元　十六萬四千四百二十八元

開辦費七千元經緯儀器十二付六千元小平板十二付一百二十元測候儀三所一百五十元繪圖儀器二百三十元開辦費五百元合如上數

總計十九萬九千零九十六元

以上三區測繪經費合總爲五十九萬二千零二十八元

督辦機關未列入預算並陳

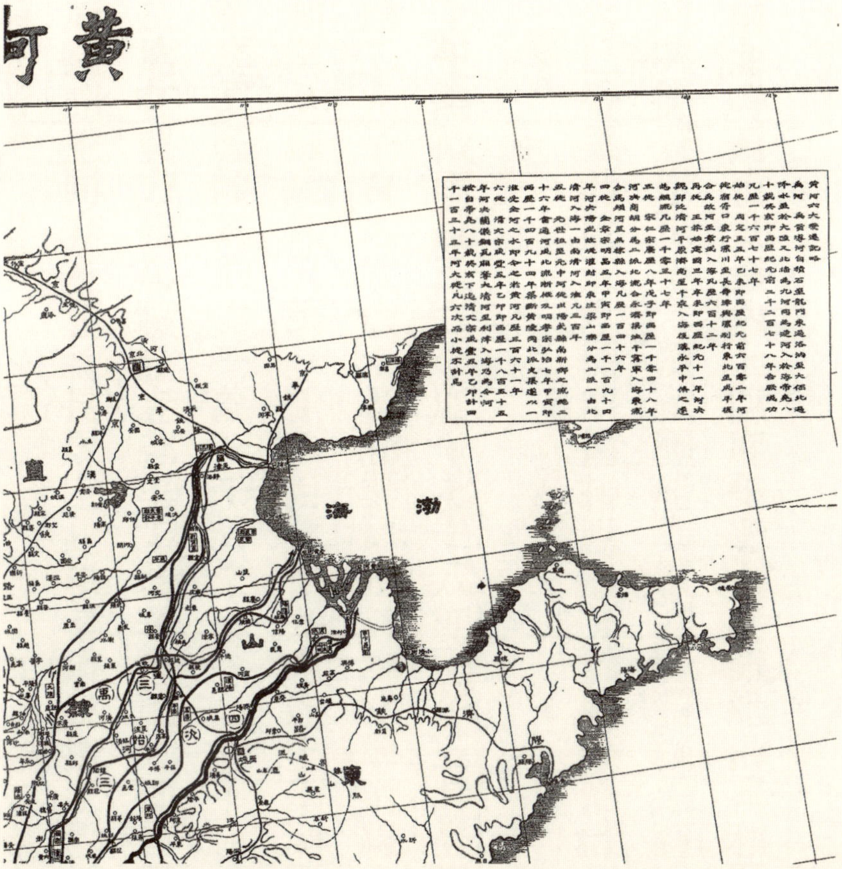

黄河
黄河六大變遷記略
渤海

河流域沿革變遷利害

害關係全圖

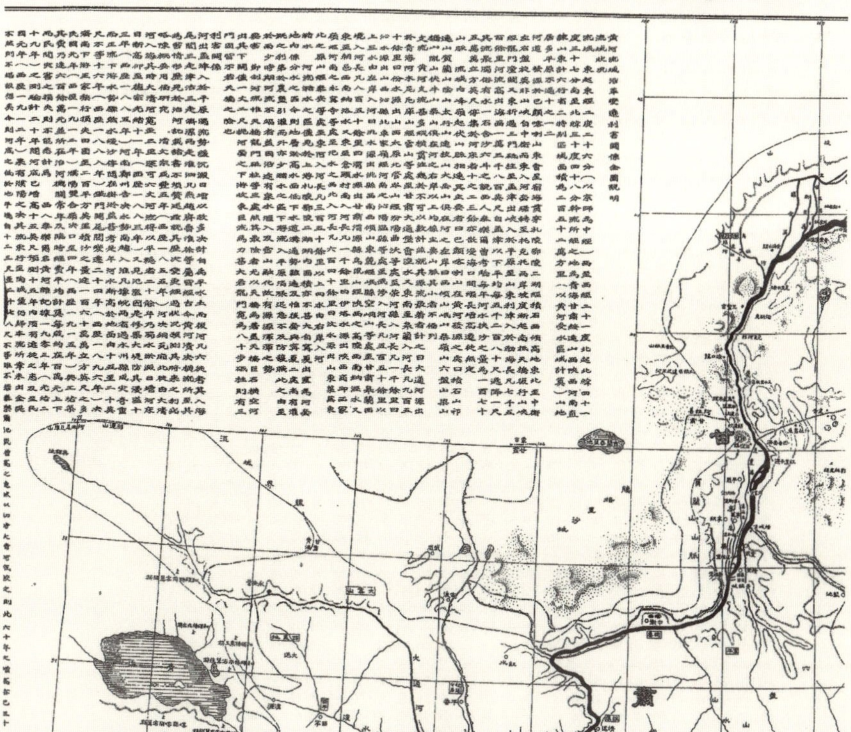

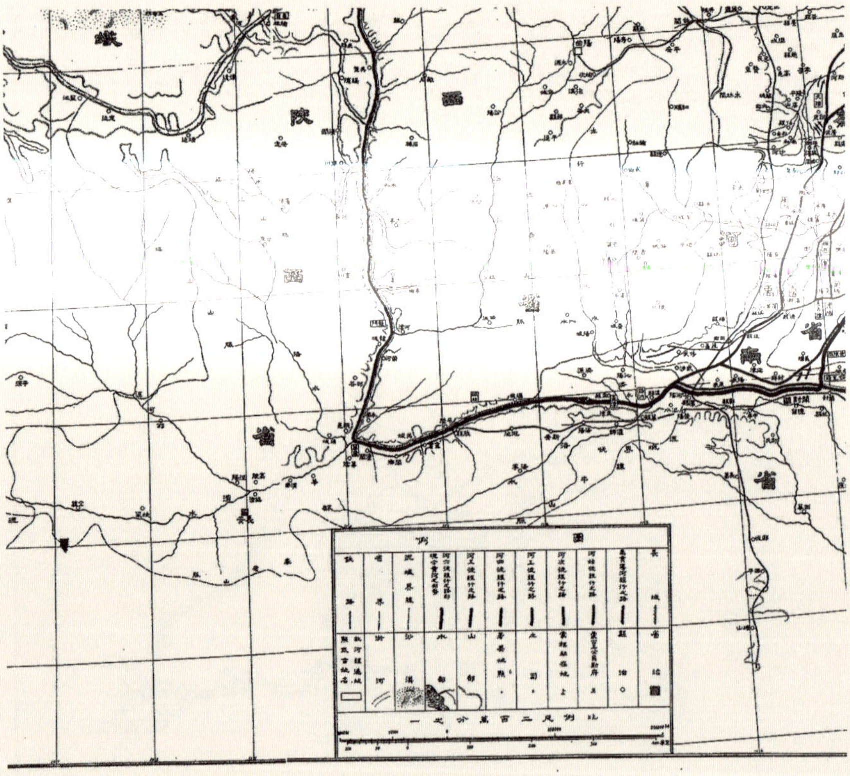

初時大清河底較之則此六十年之增高亦巳三十
不過數十尺而河床之最高者已出地平綫三四尺
諸已往之故進參觀現在之情形不求根本施治之
必能之趨向今捡所當研究者惟潰決之地撕假使
論濬衡興徒驗皆不堪納此濁流勢必漫溢枚平地
運河之水櫃船陽繳山善湖安其衝者在衝僧之南
治運成續如何亦必為掃溢無遺病成洪水橫成之
原以防害防害云者如下游之禦固隄防能買歸端
原上游之利興則下游之害自減其關係至切要大
西南而東北經過甘甫全有歷中衝至甯最斷八於
濬渠舊瞭拓拔氏據西夏益因其利而成之元和忘
道清世察雜正閒重施淤堡增置新渠寶豐二勝闊
之利而足為減然下游流量之一助下游堤轉八河
多斯地今屬縱遠特別區域其地面北縱約七百里
黏軟久賤則堅剛如石子過而則疏散者鶴袞招河
如此者　　泰始皇三十二年使將軍蒙恬將三十
香之泰人經管僅土三年初有崩芽旋復荒棄滿初
旗）於西河朔方等處引河溉田逐斯經營不遺餘
西受歸城在今鄂備多斯右與後旗黃河北岸一各
山六百里屯墾衡接牆張四通考其容水之量幾無
家人所佑領遂變而為堤收之地淡唐屯墾之制至
世挑趨色頻而亟復參築宜耕田生機方有兩動惟
無專究農業之思想墾植雖久終來底於發達之境
那圖之景象者就復參已墾之地規查墾闢自西河
係提偏墾植次弟推民規復漢唐屯墾管水之備局
河有利害相因之關係有如此也　　以上各卸表
有所表見及證明者不拘拘於辭意愈裁取之梲事
一東南遷就濟籌辦處測量般長瑪摩隆鐵讖

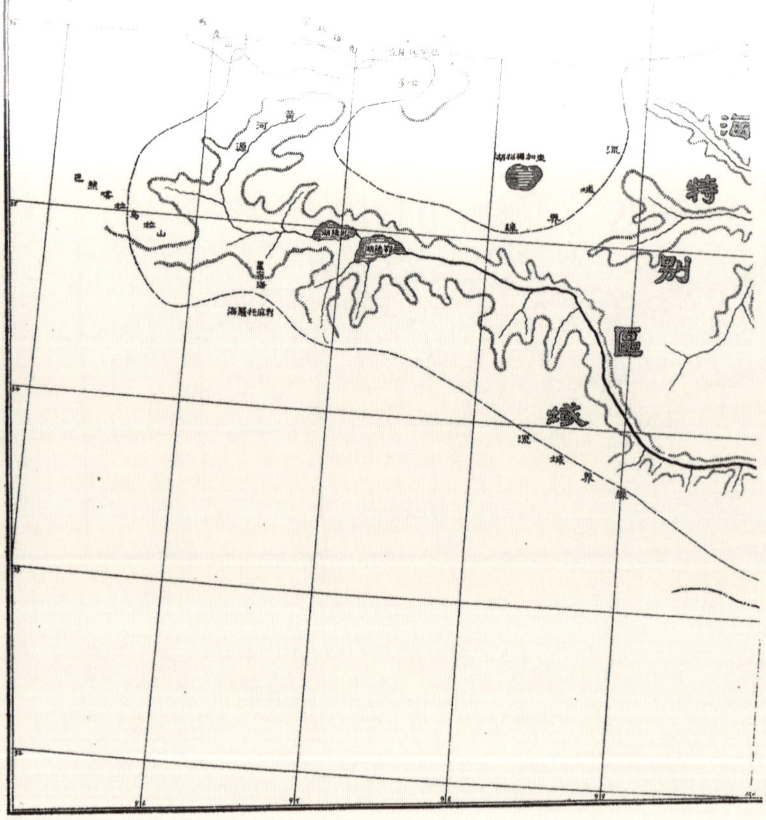

民國五年謹擬

河套沿革攷

河套古雍州地在周爲朔方禹貢載析支渠搜今寧夏東北河水遇山析爲二枝析枝故城在此渠搜則在今懷遠縣東北水經注所謂河水自朔方東轉逕渠搜故城是也周宣王時玁狁内侵命尹吉甫伐之至太原命南仲築朔方城詩曰天子命我城彼朔方其地在今靖邊縣北春秋時晉文公攘戎狄居於河西圁洛之間號曰赤白翟自是以來皆爲戎狄所居

戰國時魏惠王十九年築長城塞稒陽秦孝公十一年魏鞅圍固陽降之魏襄王十七年命大夫奴遷於九原趙武靈王二十年西略地至榆中二十六年又攘地西至雲中九原是時趙魏有河西上郡以與戎界邊至秦昭王時宣太后詐殺義渠戎王於甘泉因滅義渠於是秦有隴西北地上郡築長城以拒胡而

趙武靈王亦變胡服習騎射北破胡林樓煩築長城自代並陰山下至高闕爲塞而置雲中雁門代郡是時河套始內屬然仍叛服不常也

秦始皇既併天下乃置九原郡使蒙恬將三十萬衆北擊胡悉收河南地因河爲塞築四十四縣徙謫戍以充之又使蒙恬渡河取高闕陶山北假中（地近五原）築亭障以逐戎人徙謫戍實之初縣三十六年遷北河榆中三萬家是爲河套墾植之始

漢興匈奴內侵武帝元朔二年遣衛青李息等大出擊胡收河南地置朔方五原郡興十餘萬人築衛朔方費數十百鉅萬而主父偃盛言朔方地肥饒外阻河蒙恬城之以逐匈奴內省轉輸戍漕爲廣中國攘外狄之本當時公卿皆言不便而武帝卒用偃計立朔方郡自是匈奴怨漢奪其地數寇河南擾朔方殺略吏民五年春復令衛青蘇建李沮公孫賀李蔡等出朔方擊右賢王大破之

匈奴振恐於是渾邪王殺休屠王并將其衆降漢隴西北地河西益少胡寇乃徙關東貧民處河南新秦中以實之元狩三年山東被水復徙貧民關西朔方新秦中七十餘萬口貸與產業費以億計是時塞下徙民日衆而墾植稍稍盛焉

東漢自光武以來南北單于搆怨相侵伐至章帝章和元年北匈奴以鮮卑侵伐大亂屈蘭儲卑胡都須等五十八部詣五原朔方北地降安帝永和五年羌復盛是時二千石令長多內地人怯於戰守皆爭上徙避寇難朝廷從之遂移安定徙美陽北地徙池陽上郡徙衙百姓隨道死亡喪其大半自西漢以來屯墾實邊之計畫爲之盡隳順帝永建初西河上郡朔方皆殘破四年虞詡上疏請復三郡略謂禹貢雍州之域厥田惟上且沃野千里穀價殷積又有龜茲鹽池以爲民利水草豐美土宜畜牧牛馬銜尾羣羊塞道北阻河山乘阸據險因

渠以溉水舂河漕用功少而軍粮足故孝武皇帝及光武築朔方開西河置上郡皆爲此也頃遭元元之灾衆羌內潰郡縣兵荒二十餘年夫弃沃壤之饒捐自然之財不可爲利離河山之阻守無險之處難以爲固云云九月詔復北地上郡歸舊土始言河套屯墾之利者惟此爲最詳惜乎閱時未久中原大亂邊地亦僵至建安末年遂并五原朔方而棄之便匈奴鮮卑竄穴於此卒肇五胡之亂則河套之有關於中國者豈淺鮮哉

晉安帝義熙三年秦王興以赫連勃勃鎮朔方會魏主珪歸所虜秦將於秦秦亦歸賀狄干以報之勃勃怒叛秦襲殺設奕于併其衆自以爲夏后氏之苗裔稱大夏天王建都城於朔方黑水之南名曰統萬統萬居河套內近南自是河套之地又與中國間阻矣魏太祖登國六年九月襲五原屠之收其積穀太宗時築長城於長川之南起自赤城西至五原延袤二千餘里備置戍衛因河溉

田薄骨律鎮將刁雍上表請開富平西艾山舊渠通河水於是溉公私田四萬頃官民均獲其利

隋高祖開皇元年遣司農少卿崔仲方發丁三萬於朔方靈武築長城東至黃河西距綏州南出勃嶺綿亘七百里明年復令仲方發丁十五萬於朔方以東緣邊險要築數十城以遏寇虜詔置豐勝二州於河南煬帝大業三年發丁百餘萬築長城西距榆林東至紫河一旬而罷四年秋又發丁二十餘萬築長城自榆林谷而東長孫晟奏染干部落歸者既衆雖在長城內猶被雜閭抄掠請徙五原以河爲固於夏勝兩州東西至河南北四百里掘爲橫塹令處其內任情放牧上從之

唐高祖武德初以豐州絕遠先屬突厥交相往來吏不能禁用太子建成議廢豐州虛其城郭徙百姓于靈州割并五原榆平之地於是突厥遣處羅之子都

設率所部萬餘家入處河南地以靈州爲境帝會羣臣問所以備邊者將作大匠丁筠請於五原靈武置舟師扼其入中書侍郎溫彥博曰魏爲長塹遏匈奴今可用從之太宗貞觀中遣柴紹薛萬徹擊師都劉旻劉蘭率勁兵據朔方東城師都兵勢日蹙其從父洛仁斬師都詣紹降以其地爲夏州紹又破匈奴奪得河南地因置州郡以領之中宗時張仁愿爲朔方軍總管請乘虛奪取河南地於河北築三受降城役者盡力六旬而三城俱就皆據津要北拓地三百餘里於牛頭朝那山北置烽堠一千八百所自是朔方無寇患減鎮兵萬人歲捐費以億計元宗時張說以時無强寇奏罷戍兵二十餘萬使歸農其後韓重華於元和六年爲振武軍轉運使出贓罪吏九百餘人給耒耜與牛使耕其旁近便地爲之奔走經營相原隰之宜指受方法連歲大熟吏得償所亡失四十萬斛因益募人爲十五屯屯置百三十人而種百頃令各就高爲堡東起振武轉

而西過雲中界極於中受降城出入河山之際六百餘里屯堡相望寇來不能爲暴人得肆耕其中歲省度支錢千三百萬唐之屯於河套者於此可見一班焉五代及宋金皆爲西夏地自唐末拓拔思恭以討黄巢有功賜姓李有銀夏綏宥靜五州之地後號西夏宋咸平中復取宋懷遠鎮置興州尋爲西夏國都即今寧夏縣是也

宋史夏國傳云眞宗時有唐龍鎮地勢險峻東至黄河二十里河東曰東纏河西曰西纏騎兵所不能及番部有來義二族嘗持兩端事契丹後爲契丹所破二族來歸朝廷憫其窮而優容之仁宗時爲夏元昊所併俱廢在河套又謂興靈有古渠曰唐渠曰漢源皆支引黄河故灌溉之利歲無旱澇之虞其時河東河北之地則分屬於遼遼亡夏金爲八館之爭搶攘紛紜幾無寧宇漢唐屯墾遺規至是殆盡歸湮漠矣又按种世衡傳世衡以西邊用兵守備不足遂建言

延安東北二百里有故寬州請因廢壘而興之以當寇衝右可固延安之勢左可致河東之粟北可復銀夏之舊朝廷從之命董其役夏人屢出爭世衡且戰且城城成賜名靑澗城世衡開營田二千頃募商賈通貨利城遂富實由是觀之西北實邊之計固莫過於屯墾者矣

元滅夏立西夏中興等路後廢之其地東屬雲內東勝二州延安寧夏等路郭守敬曰西夏有古渠在中興者一名唐來其長四百里一名漢延其長二百五十里他州正渠十皆長二百里支渠大小六十八灌田九萬頃兵亂以來廢壞淤淺守敬相度形勢皆復其舊至於寧夏以東則未暇經理蓋元人之有國日少故雖有守敬之精於水理亦但及於寧夏一隅耳

明初大將軍湯和攻察罕腦兒獲猛虎陳定東勝置延安綏德二衛大河以北爲斡喇（即烏拉特）所據套之內則爲王保保居之洪武中逐保保城東勝等城撥綏

德衛千戶劉寵屯榆林庄庄北由河套直至黄河千有餘里改寧夏路設寧夏府府廢徙其民改置寧夏衛遷五方之人實之又增前中左右共五屯衛隸陜西行都司虜遁河外居漢北延綏得以無事屯戍耕牧之利益可見焉至天順六年毛古里孩阿勒綽爾之部始入河套爲寇成化四年乩嘉思蘭殺阿勒綽爾併其衆而結滿都魯入套爲巢穴九年總督王越擊敗之未幾火篩之部復入套居之總制楊一淸上言河套當復會劉瑾用事尋得罪去遂無敢言及河套者其後屢入寇嘉靖中吉納部落擊破火篩居此號爲鄂爾多斯服屬於察哈爾有子九人分牧而處其河東則爲俺答之部名西土默特隆慶間俺答歸順封順義王名其地爲歸化土默特自明中葉以後河套內外悉入蒙古爲游牧地其勢力範圍爲明人所不敢問故除寧夏榆林二衛之外不復有屯墾之跡焉

明臣之論河套者大抵以增營堡築墩臺修邊牆爲言鮮有爲屯墾計者如兵部尚書程信謂河套地曠遠無水草興師十萬則餽糧加倍自古禦戎來者拒之去者勿追而已吏部侍郎葉盛謂河套沙瀰水淺難以住牧春遲霜早不可耕種都御史余子俊謂修葺垣牆墩堡增築草場界至時加巡察敢有越出塞垣耕種及移徙草場界至者俱治以法以此觀之其於河套屯墾計畫全未見及概可知矣後總督王越謂守險拒敵防其深入於榆林及新設城堡各計其屯田歲入之數留兵屯守而移置其多餘之屯於定邊營要害之地委謀勇將官統之如此則虜不敢深入總督王瓊謂榆林東中二路大邊六百五十六里當修者三百十里二邊六百五十七里當修者二里四十八里二邊乃成化中余子俊所修因山爲險屯田多在其外大邊乃弘治中文貴所修防護屯田中間率多平地築牆高厚不過一丈可壞而入今當先修大邊必使岸塹深險牆

垣高厚此雖言及屯田猶非爲河套計畫也惟總督曾銑請復河套疏籌畫精詳最爲卓識略謂河套古朔方地三代以來悉麗中國漢武帝取河南地爲朔方郡築城繕塞因河爲固後世稱之曰雄才大略唐初朔方軍以河爲境嗣是張仁愿取河南地於河北築三受降城突厥不敢踰山牧馬朔方亦無寇歲捐費億計至宋李繼遷叛走斥澤進陷靈蕭河套復爲虜有卒不能制我太祖高皇帝順天應人薄海內外皆隸版圖豈界河套已乎後以東勝孤遠撤之內守復改榆林爲鎮城方初徙時套內無虜土地沃膏草木繁茂禽獸生息當事之臣不以此時據河爲守乃區區於榆林之築此時虜勢未大猶可委也失此不治弘治八年虜編筏渡河剽掠官軍牧馬十二年擁衆入寇自後常牧套內侵擾中原孝廟武廟常欲復之而未能故使虜酋吉囊得以據爲巢穴出套則寇宣大三關京師震恐入套則寇延寧甘固生民荼毒夫河套自三代以迄於今

中國所守以界夷夏又我聖祖之所留也一統故疆三邊沃壤其理宜復又謂將套中之地預爲踏撥多立魚鱗藉册以防日後弊端每軍民一户給田二頃俾歲耕一頃閑一頃是爲閑田以養餘力其沿邊軍民亦出召募有欲守邊者皆給以田引黄河之水爲大小之渠以溉田可備旱澇高黍下稻任土所宜數年之後套地可盡墾而又仿井田之意廣溝洫之制吾民易于稼穡勇于驅馳既臨河設險夏秋決難使犯我得耕稼矣比及河凍農事已竣乃于講武之時爲禦虜之計民不告勞農不告費行之既久則河湟之地不異中州此規模節目之大略也有明一代論河套者未有深切於此者也

清太宗滅察哈爾蒙古各部率屬來歸封爵有差順治中以套内鄂爾多斯編分六旗後增一旗共七旗自爲一盟名伊克昭套北烏拉特編分三旗隸烏蘭察布盟套東歸化土默特編分二旗設都統佐領其官制並同内地而套西阿

拉善厄魯特則自爲一部雍正元年於土默特增設同知等官四年公舅舅隆科多等奏略謂甯夏阿拉善山前自察漢托輝至石嘴子其野廣平土脈肥潤籽種易生其地性暖可引水如西河六年河並古渠大溝黑龍口倒流河新河黄泥河董家河悉前人引水分水故道以年久多淤塞然形跡尚存今若更建渠壩及放水閘其兩岸可以墾田萬頃又甘肅巡撫石文焯亦以前意奏聞上從之於是命侍郎通智等開惠農昌潤二渠渠成增置寶豐新渠二縣後省乾隆四年築綏遠城移鎮守將軍駐劄二十九年增設清水河托克托薩拉齊通判等廳屬山西省於是土默特之部築室耕田儼同內地自土默特同化後漢族日以西漸至河套租地耕種道光之後蔓延至於後套浚渠數十道墾地至數萬頃光緒二十九年命貽穀督辦蒙旗墾務並設五原東勝等廳至是各旗私墾之地一律呈報墾局丈量給領而鄂爾多斯烏拉特土默特阿拉善旗地

編分如故也河套屯墾之沿革大略如是矣

按河套沿革考係南運湖河籌辦處所編其中所述河套歷代屯墾之興廢既詳且盡秦漢以前皆爲戎狄所居本無墾植之設施秦漢之後始歸中原於是河套墾植漸知講求及至唐宋之際又爲遼金所據而河套墾植忽興忽廢迄於今日觀此可知河套歷代經營廢棄之大略情形矣

河套內外設置郡縣沿革表

朝代	郡或州道	領縣	所在	說略
周				職方氏雍州春秋戎狄之地戰國屬秦趙魏
	朔方		套內	宣王時獫狁內侵命尹吉甫伐之至太原有功而歸乃命南仲築朔方城○水經注河水東北逕朔方縣故城東北詩所謂城彼朔方是也
	上郡		套東南	史記惠文王十年魏納上郡十五縣○元和志綏州戰國時屬魏爲上郡○今府谷神木皆其地
	固陽		套北	史記魏惠王十九年築固陽○水經注河水東逕稒陽故城南稒一作固

秦

榆中　套內　史記趙武靈王二十年西略地至榆中○河套至榆中在府谷東北河套中

九原　套北　史記趙武靈王二十六年攘地西至雲中九原欲直南襲秦北地九原雲中上郡等四郡之地

雲中郡　套東　今薩拉齊托克托清水河等縣皆秦雲中郡地

九原郡　套北　今五原縣屬河北烏拉特一帶皆秦九原郡地

上郡　套東南　河套志榆林府屬四縣葭州治二縣皆秦上郡地

北地郡　套西南　河套志甯夏府屬各縣及榆林府之定邊縣皆秦北地郡屬

漢

并州刺史部

北地郡　套西南　郡治在馬嶺後移治富平領縣十九錄八縣

富平　套西南　今甯夏縣及靈武縣地

廉　套西　今甯夏縣地

靈武　套西南　今寧夏縣及靈武縣地

靈洲　套西南　河套志在靈州界

眗衍　套西南　河套志在靈州界

眗卷　套　西　河套志在新渠縣界

方渠　套　西　河套志在新渠縣界半及寶豐縣

弋居　套　南　漢地理志弋居有鹽官〇按當在今鹽池縣及定邊縣界

朔方郡

領縣十脩都呼遒二縣未詳

三封　套　西　水經注河水東北逕三封縣故城東〇十三州志縣在臨戎縣西一百四十里

臨戎　套　內　水經注河水又北逕臨戎縣故城西

沃野　套　內　水經注河水又東枝渠東出謂之銅口東逕沃野故城南〇刁雍論漕運曰穀在河西運輸至沃野須渡大河

窳渾　套　西　水經注河水又北迤西溢於窳渾縣故城東

臨河　套　內　水經注河水東逕高湖南又東逕臨河縣故城北

廣牧　套　內　水經注河水又東逕廣牧縣故城北

朔方　套　內　水經注河水南逕馬陰山西又東南逕朔方縣故城東北

渠搜　套　內　水經注河水自朔方東轉逕渠搜縣故城北

五原郡

領縣十六錄十縣

西安陽　套　北　水經注河水逕朔方縣故城東北屈南過五原西安陽縣南

河目　套　北　水經注河水自臨河縣東逕陽山南南屈逕河目縣左

宜梁　套　北　水經注河水東逕原亭城南又東逕宜梁縣故城南

稒陽　套　北　水經注河水又東逕稒陽縣故城南

臨沃　套　北　水經注河水東逕稒陽城南又東逕臨沃縣南

河陰　套　內　水經注河水又東逕河陰縣故城北

九原　套　北　水經注河水又東逕九原縣故城南

五原　套　北　水經注九原縣西北接對一城盖五原縣故城其城南面長河北背連山

成宜　套　北　水經注河水東逕薜田城南又東逕成宜縣故城南

曼柏　套　內　河套志在府谷北河套中

西河郡

領縣三十六錄八縣

富昌　套　內　水經注湳水東逕西河富昌故城南〇河套志在榆林府東北河套中

美稷　套　內　水經注湳水出西河美稷縣東南流入長城東〇河套志在榆林府東北河套中

大成　套　內　河套志在榆林府北河套中

虎猛　套　內　河套志在榆林府東北河套中

圜陰　套　南　漢書師古注在圜水之陰今銀州地

圁陰　套　南　禹貢錐指米脂縣有圁陰故城圁陽當在東北

增山　套南　漢地理志縣有道出眩雷塞

鴻門　套南　河套志在米脂縣西

雲中郡

套東　領縣十一錄五縣

雲中　套東　今托克托縣地

咸陽　套北　水經注大河東逕咸陽縣故城南屈而流白渠水注之

沙陵　套東北　水經注白渠水逕沙陵縣故城南西注沙陵湖湖水西南入於河

楨陵　套東　水經注河水東過雲中楨陵縣南

沙南　套內　水經注水河水又東過沙南縣北

定襄郡

領縣十二錄一縣

桐過　套東　河套志縣南境今偏關縣及清水和縣地

上郡

領縣二十二錄五縣

獨樂　套南　延綏志縣在米脂縣北碎金驛

奢延　套南　水經注奢延水出奢延縣西南東北流逕其縣故城南○河套志在懷遠縣

龜茲　套南　禹貢錐指榆林衛本漢上郡龜茲縣北至邊墻十里

白土　套內　水經注圁水出上郡白土縣圁谷東逕其縣南○河套志在榆林府西北河套中

高望　套內　河套志在榆林府河套中

雁門郡　領縣十四錄一縣

武州　套東　今偏關縣

三國　後漢羌亂朔方西河等郡皆殘破三國時匈奴居之

晉　義熙後赫連勃勃於奢延水之北黑水之南築統萬城○蒙古游牧記統萬城在懷遠正西九十七里土人呼爲白土城

南北朝　後魏夏州靈州鹽州朔州等州郡末季入後周

夏州　套內　地形志太和十一年改治大夏領郡四錄三郡○水經注統萬城即夏州治○河套志在懷遠縣界

化政郡

地形志太和十一年置領縣二

華融　套南　周書宇文貴封華融縣侯從孝武西遷進爵化政郡公

巖綠　套南　眞君七年置○河套志在懷遠界

闡熙郡

套南　地形志太和十一年置領縣二○元和志故城在今長澤縣西南二十里○河套志長澤縣今定邊縣地

山鹿　套南　河套志在靖邊縣地

新囦　套南　河套志在靖邊縣地

代名郡

地形志太安二年置領縣二○河套志在榆林境

呼酉　地形志太安二年置有橫水○河套志縣在今榆林境當即漢呼遒縣舊地

渠搜　套內　地形志太安二年置○河套志漢渠搜在廢夏州北即今榆林府西北魏後縣宜在其地

靈州

套西南　後魏太延二年置薄骨律鎮孝昌中改置靈州

鹽州大興郡

套西南　河套志在鹽州兼中衛縣地領縣一

五原　套西南　州郡治

東夏州上郡　允和志綏州後魏神龜元年東夏州刺史張郃於此置上郡屬東夏州領縣二

石城　套南　元和志漢圁陰縣地〇舊志在神木縣西南四十里

因城　套南　元和志漢高奴縣地〇舊志在安塞縣西一百三十里

沃野鎮　套內　風土記沃野漢朔方郡沃野縣地

悅跋城　套內　後魏書勑安原屯悅跋城〇河套志在榆林北河套中

朔州　套北　地形志漢五原郡延和二年置鎮後改爲懷朔孝昌中改爲州

銀城　套內　元和志漢沙南縣地晉魏此地不立縣邑至後魏爲銀城縣地

稒陽　套北　十六國春秋後魏登國九年使元義屯田五原至於稒陽塞外

隋

改州爲朔方靈武鹽川榆林五原等郡

朔方郡　後魏夏州化政郡西魏改弘化郡後周因之隋改朔方郡領縣三

巖綠　套　南　見後魏

寧朔　套　南　後周置○元和志縣西北至夏州一百三十里○河套志在榆林縣西

長澤　套　南　後周置屬闡熙郡隋廢郡以山鹿新園二縣入長澤縣

靈武郡

套西南　後魏靈州地後周置帶普樂郡隋改爲靈武郡領縣六錄五縣

迴樂　套西南　後周置屬帶普樂郡今靈武縣地

弘靜　套　西　開皇十一年置今寧夏縣地

靈武　套　西　後周置歷城郡及建安縣隋廢郡並更縣名屬靈武郡今平羅縣兼鄂托地

懷遠　套　西　後周置懷遠郡及懷遠縣隋廢郡以縣屬靈武今寧夏縣地

豐安　套西南　開皇十年置○河套志在寧夏府中衛縣兼新渠寶豐二縣

鹽川郡

套西南　後魏鹽州大業初改爲郡○河套志郡在榆林府定邊縣磚井堡地兼寧夏府靈州界

五原　套西南　河套志在靈州界

榆林郡即勝州 套內 隋地理志開皇二十年置勝州大業初置郡統縣三○通典郡東至河四十里北至河五里

榆林 套內 元和志本漢沙南縣地歷魏晉及周此地皆無縣邑開皇七年置榆林縣

富昌 套內 隋地理志開皇十年置○漢西河郡有富昌縣

金河 套東南 元和志榆林關即金河縣治所

五原郡即豐州 套內 統縣三○元和志周永豐鎮開皇三年於鎮置豐州煬帝初改爲五原郡○錐指州在榆林衛西北塞外七百里本漢廣牧縣地

九原 套內 隋地理志開皇五年置○元和志本漢廣牧縣地其城周隋間俗謂之甘草城

永豐 套內 元和志漢臨戎舊地周置永豐鎮開皇中改爲縣

大同城 套北 河套志在中受降城西二百二十里今榆林府河北岸

唐

關內道 改郡爲州而以道轄之其地爲關內道及河東道之西境東距河西抵隴坂南據終南北邊沙漠河套之地悉在其內

夏州 套內 唐地理志領縣三○隋朔方郡

靈州

朔方　套　南　唐地理志隋巖綠縣貞觀二年改朔方縣〇河套志在榆林府懷遠縣兼寧夏府寧夏縣

德靜　套　南　河套志在懷遠縣

寧朔　套　南　河套志在榆林府榆林縣兼寧夏府寧夏縣

套西南　隋靈武郡唐改爲靈州置大都督府開元中置朔方節度使領縣五

靈武　套西南　今靈武縣地兼寧夏縣地

懷遠　套　西　隋置唐因之

保靜　套　西　隋弘靜縣

迴樂　套西南　隋置唐因之

溫池　套西南　河套志神龍五年置屬靈州大中五年屬威州今寧夏府靈州

鹽州

套西南　領縣三錄縣二

五原　套西南　隋置唐因之

白池　套西南　貞觀九年屬靈州

安遠城　套西　先天三年置隸靈州景福初升爲警州今平羅縣地

麟州　套內　唐地理志開元十二年析勝州之連谷銀城置州領縣三〇神木縣志州在城北六十里本漢新秦地唐置勝州今在塞外

新秦　套內　唐地理志開元二年置後廢天寶元年復置

連谷　套內　元和志貞觀八年置屬勝州天寶元年割屬麟州〇神木縣志在麟州北十里

銀城　套南　唐地理志舊屬勝州天寶元年屬麟州〇神木縣志縣在州南四十里

勝州　套內　惰榆林郡領縣二

榆林　套內　惰置唐因之

河濱　套內　元和志貞觀三年置黃河在縣東十五步渡河處名君子津〇寰宇記縣在州南一百九十里

豐州　套內　惰五原郡唐改豐州領縣二

九原　套內　元和志永徽四年於附郭置九原

永豐	套内	惰縣○元和志縣在州西一百十六里
安北都護府	套北	唐地理志開元十二年徙治天德軍縣二○元和志天德軍在西城正東微南一百八十里
陰山	套北	唐地理志天寶元年置
通濟	套北	唐地理志安北大都護府領通濟縣
宥州	套内	唐地理志開元二十六年置宥州其後徙廢元和九年復置距故州東北三百五十里後寄治長澤領縣二○元和志廢宥州在鹽州東北三百里在夏州西北三百里
延恩		唐地理志開元二十六年置後廢元和九年復置
長澤	套南	唐地理志本隸夏州元和十五年來屬○河套志在靜邊縣界
中受降城	套北	元和志景雲二年張仁愿於河北築三受降城以拂雲祠爲中城與東西二城各相去四百里又中城本九原郡地○錐指中城在廢夏州北八百里
西受降城	套北	通鑑西城在豐州北黃河外八十里○九邊攷城西南直靈武
東受降城	套北	九邊攷東城南直榆林
大同城	套北	河套志在中受降城西二百二十里

河東道　北邊匈奴西據河其西有嵐雲二州地接河套

嵐州　套東　領縣四錄一

嵐谷　套東　今偏關縣

雲州　套東　領縣一

雲中　套東　今托克托縣

五代　五代世亂郡縣時有廢省且文字不完今從略

宋　屬西夏東北分屬於遼宋僅麟豐府三州後陷於金

麟州新秦郡　套內　宋地理志屬河東路縣一〇唐麟州五代因之宋靖康元年割與夏

新秦　套內　唐新秦連谷銀城五代因之宋政和四年廢銀城連谷入焉

府州榮河郡　宋地理志屬河東路縣一〇後唐以麟州東北河濱地置宋永和五年賜郡名榮和〇靖康初入夏

府谷　套東　宋地理志府州治府谷縣

豐州甯豐郡	套內	宋地理志嘉祐七年以府州蘿泊川建州政和五年賜郡名甯豐○九域志豐州南至府州一百十五里西南至麟州一百四十里領塞二○靖康初入夏
夏州	套內	宋史西夏河南之州曰夏州
宥州	套內	宋史西夏河南之州曰宥州鹽州
鹽州	套西南	
興慶府	套西	唐靈州宋初廢爲懷遠鎮咸平中入於西夏爲興州旋升爲興慶府爲西夏國都今甯夏道治
靜州	套西	唐保靜縣夏置靜州今甯夏甯朔二縣
定州	套西	唐定遠城夏置定州今平羅縣地
雲內州	套北	遼志唐中受降城遼初改雲內州屬西京道領縣二
柔服	套北	明志漢九原縣地
甯人	套北	明志漢九原縣地
天德軍	套東	歸化土默特地

名稱	方位	沿革
東勝州	套東	遼地理志唐勝州遼太祖破振武軍勝州之民皆趨河東州廢後復置統縣二〇蒙古游牧記遼東勝州與隋唐勝州相近但隔一河
榆林	套內	明志唐勝州治榆林縣後廢遼復置
河濱	套內	明志隋榆林縣地唐拆置河濱後廢遼復置屬東勝州
元		東勝雲內二州及大同寧夏等路末造均爲王保保所據
明		明初城東勝等州並立屯戍天順間爲蒙古所據明祇寧夏榆林二衛所屬陝西行都司及都指揮使
行都司寧夏衛	套西	明初置寧夏府後改爲衛隸陝西行都司分寧夏道治
寧夏前衛	套西	今寧夏縣
寧夏右衛	套西	今寧朔縣
平虜所	套西	今平羅縣
靈州所	套西南	西夏鹽州元改靈州明初州廢改置所爲寧夏衛宣德三年移治清季之靈州地
寧夏後衛	套西南	在花馬池今鹽池縣

清

都指揮使榆林衛	套南	領東中西三路二十堡〇九邊攷成化八年築榆林三路邊墻遂棄河守墻〇今沿邊墻一帶之地
歸化土默特	套東	宣德初築雲州設兵戍守後入蒙古爲西土默特隆慶間來歸是名歸化土默特卽遼天德軍今薩拉齊托克托其地
鄂爾多斯	套內	明初城東勝並立屯戍天順間入蒙古後屬察哈爾是爲鄂爾多斯有子九人分牧而處卽唐豐勝二州之地 清初鄂爾多斯來歸分所部爲六旗後增一旗曰郡王曰準噶爾曰達拉特曰杭錦曰鄂托克曰烏審曰札薩克又烏拉特則分爲三旗曰東公曰中公曰西公並土默特之部陸續設廳管轄其甯夏榆林各衛均設府置縣詳於下
烏拉特	套北	唐中西受降城遼雲內州金因之元屬大同路明初爲蒙古所據曰烏拉特
甯夏府	套西	明甯夏衛雍正三年改爲府屬甘肅布政司領州一縣六（中衛縣不錄）
甯夏	套西	明甯夏衛及前衛雍正三年改爲甯夏縣附郭
甯朔	套西	明甯夏右衛雍正三年改爲甯朔縣附郭
平羅	套西	明平虜千戶所雍正三年改平羅縣後兼管河東鄂托克旗地
靈州	套西南	明靈州所雍正三年改爲州兼有鄂托克旗地
新渠	套西	明甯夏衛地雍正五年置縣乾隆三年省入平羅今田州塔是其治所

寶豐　套西　明寗夏衛地雍正七年置縣乾隆三年省入平羅今故城仍稱寶豐

榆林府

明榆林衛雍正九年改爲府屬陝西布政司領縣四

榆林　套南　明榆林衛雍正九年置府並設首縣治在寨內後兼轄烏審旗地

懷遠　套南　明懷遠堡雍正九年置縣治在寨內後兼轄烏審旗地

靖邊　套南　明靖邊堡雍正九年置縣治在寨內後兼轄烏審旗地

定邊　套南　明定邊堡雍正九年置縣治在寨內

葭州屬　神木　套南　明縣清因之治在寨內後兼轄郡王扎薩克鄂托克烏審各旗南境之地

府谷　套南　明縣清因之治在寨內後兼轄準噶爾旗地

保德州屬　河曲　套東　治在河東後兼轄準噶爾旗地

寗武府屬　偏關　套東　雍正三年置治在河東

歸綏道屬　薩拉齊廳　套東　明歸化土默特地乾隆九年設廳治在河東後兼轄達拉特旗地

托克托廳　套東　明歸化土默特地乾隆九年設廳治在河東後兼轄準噶爾旗地

清水河廳　套東　明歸化土默特地乾隆九年設廳治在河東後兼準噶爾旗地

五原廳　套內　鄂爾多斯杭錦達拉特旗地及烏拉特旗地季年設廳

東勝廳　套內　鄂爾多斯郡王札薩克準噶爾旗地季年設廳

民國

改廳爲縣裁府留道以歸綏道所轄區域最廣其南部屬榆林道西南屬寗夏東南屬雁門道

寗夏道

套西　治寗夏縣轄縣八錄六縣本漢北地郡富平縣西之地

寗夏　套西　清寗夏縣民國因之本漢北地郡廉縣之地

寗朔　套西　清寗朔縣今移治滿城本漢北地郡靈武縣之地

平羅　套西　清平羅縣民國因之本漢北地郡方渠縣朔方郡臨戎縣地

靈武　套西南　清靈州民國二年改爲靈武縣本漢北地郡富平縣地

鹽池　套南　清靈州花馬池分州民國二年改爲鹽池縣治在寨內兼轄鄂托旗地本漢北地郡富平縣地

金積　套西南　清靈寗廳後改爲金積縣本漢北地郡靈州縣地

治歸綏縣轄縣八錄五縣

綏遠道

薩拉齊　套東　清薩拉齊廳後改縣漢雲中郡咸陽縣地

托克托　套東　清托克托廳後改縣漢雲中郡雲中縣地

清水河　套東　清水河廳後改縣漢定襄郡相過縣地

五原　套內　清五原廳後改縣漢五原郡及朔方郡地

東勝　套內　清東勝廳後改縣漢朔方郡及西河郡地

榆林道

套南　治榆林轄縣二十三錄七縣

榆林　套南　見清　本漢上郡龜茲縣地

神木　套南　見清　本漢上郡白土縣地及西河郡美積縣地

府谷　套南　見清　漢雲中郡沙南縣地

橫山　套南　清懷遠縣今改爲橫山縣本漢上郡奢延縣地

葭　套南　清葭州今改縣本漢西河郡圁陰縣地

定邊　套南　見清

靜邊　套南　見清漢上郡奢延縣地

按河套內外設置郡縣沿革表係南運湖河籌辦處所編河套歷代所領轄之州郡以及地名位置均縷晰詳列用附編末以備參考

調查河套報告書終

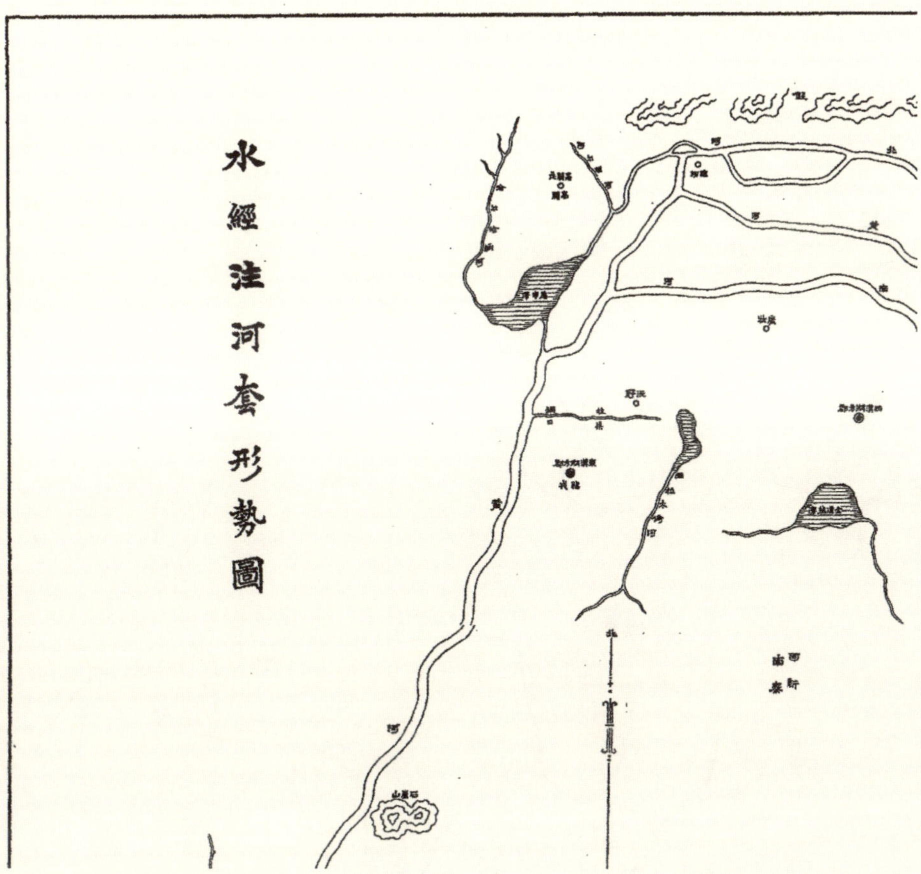
水經注河套形勢圖

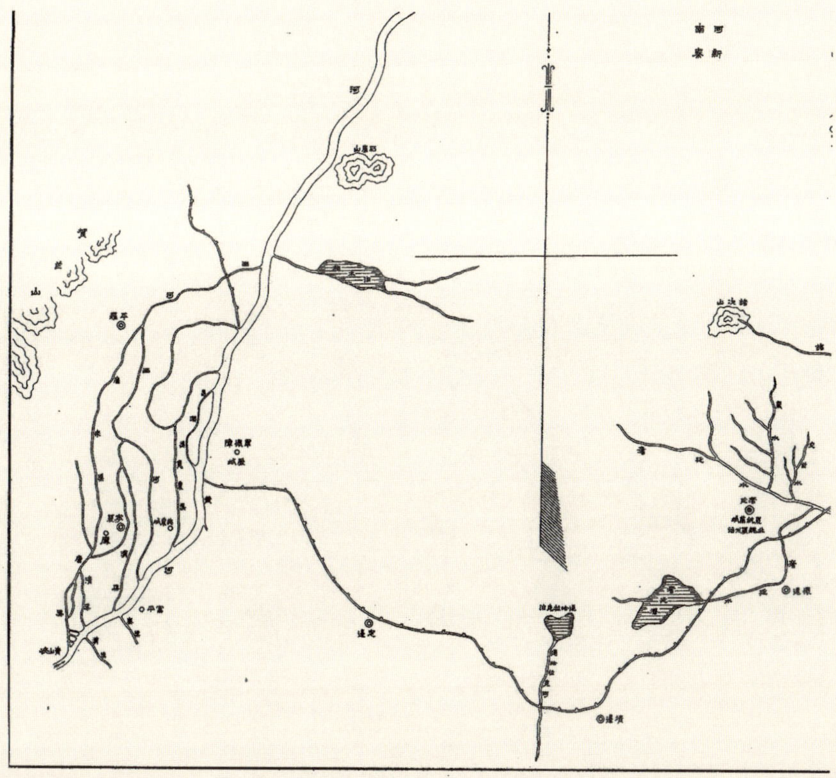

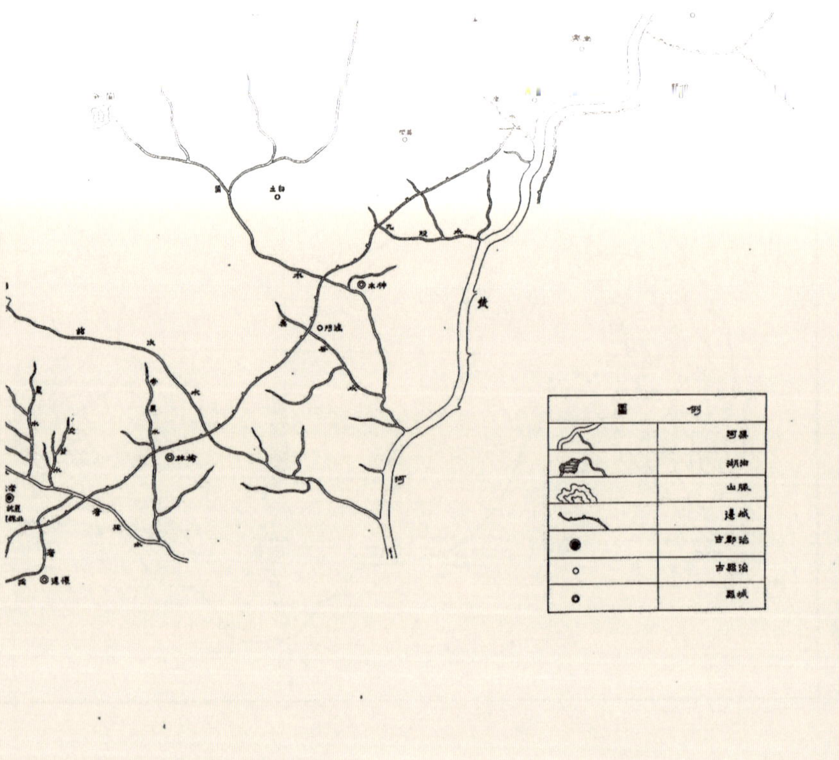
圖例
河渠
湖泊
山脈
邊城
古郡治
古縣治
縣城

河套疆域最近形勢

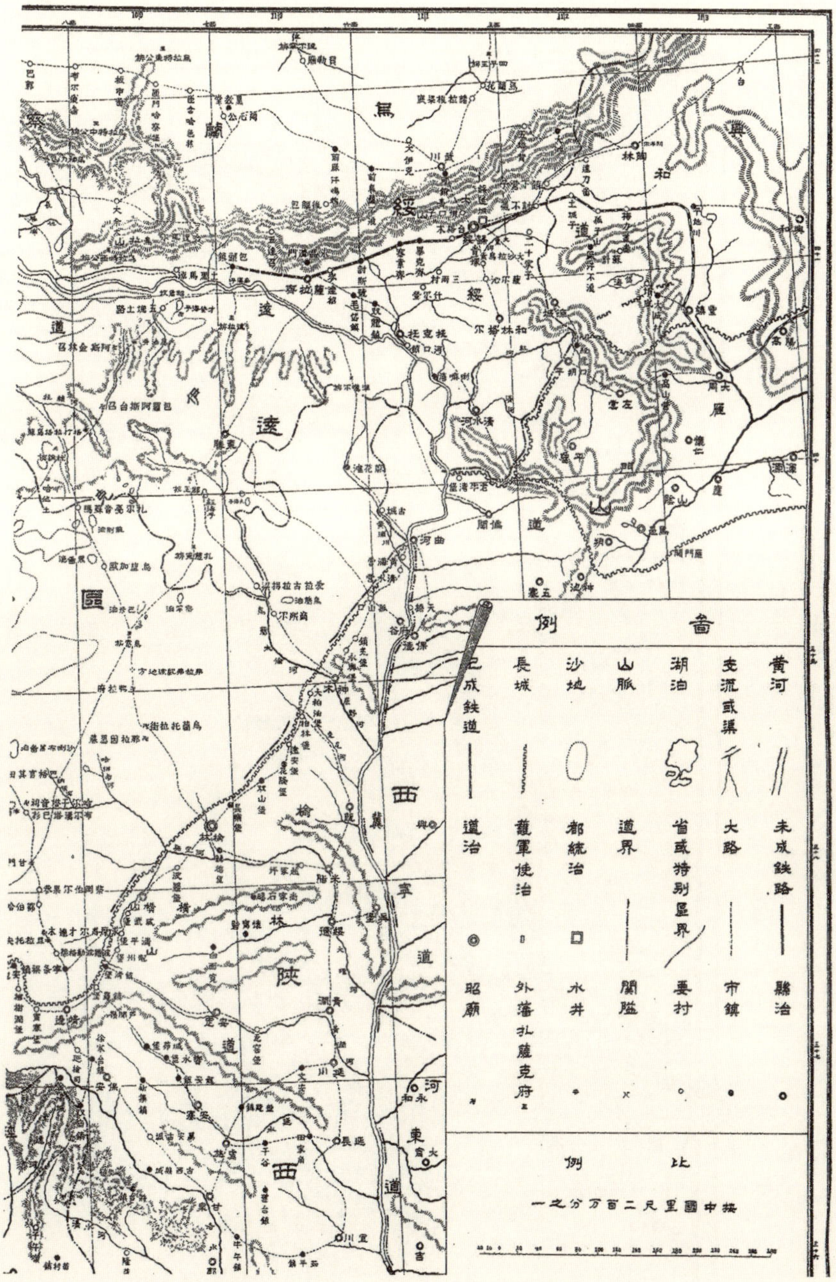
圖例
黃河
未成鉄路
縣治
支流或渠
大路
市鎮
湖泊
省或特別區界
要村
山脈
道界
關隘
沙地
都統治
水井
長城
護軍使治
外藩扎薩克府
已成鉄道
道治
昭廟
比例
按中國里尺二百万分之一

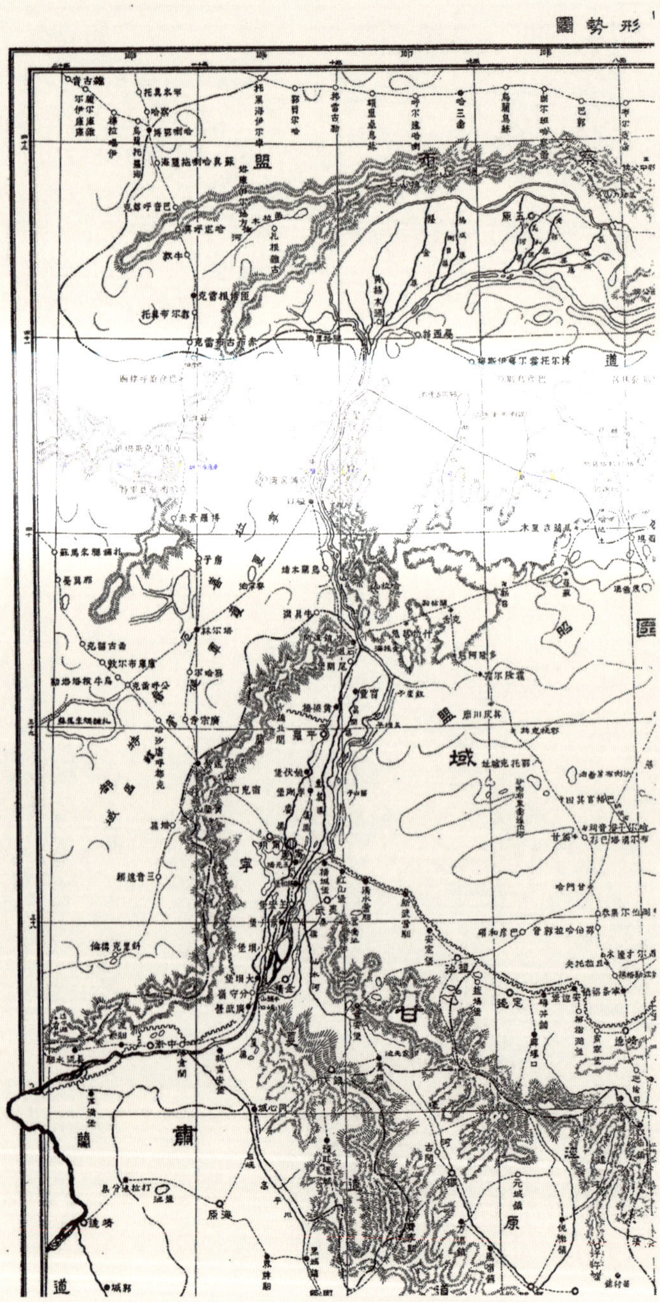
形勢圖

勘誤表

某項	頁數	行數	字數	錯誤	更正
特件	三	八	一三	若	諾
緣起	二九	七	一八	政	改
仝	三〇	一	九十	頭每	每頭
仝	三二	八	一二	興隆	隆興
記錄	九四	八	九	加	如
仝	一六一	一一	一三	波	坡
仝	二三〇	一〇	一八	白	日
仝	二三一	五	一八	他	托
仝	二三三	九	二四	百	十
日記	二五九	二	一五	來	時
仝	三〇八	五	三三	灞	壩
仝	三三五	一		三四兩字顛倒	
附件	三四九	五	九	商	高
仝	三六二	八	二	查	套
仝	四〇六	四	二	遍	地
仝	四二一	四	一九	組	積
仝	四二三	十	二四	敢	敗

民國十二年冬月付印

調查河套報告書
定價大洋叁元

編輯者 督辦運河工程總局編輯處

印刷所 北京京華印書局

後記

我是從數學史學習中逐步瞭解治黄史的。漢代《許商算術》的作者許商，好天文術數之事的王景、李尋善，他們既是數學家，又以治理黄河而聞名。我國現存最早的河工著作《河防通議》，將中國古典數學天元術運用到治黄工程中，創造了中國古代工程數學的一個高峰。除了數學史之外，内蒙古師範大學科學技術史研究還以少數民族科技史和地方科技史見長。李迪先生曾指出地方科技史研究的重要内容是人與自然環境變遷、科技遺迹與自然環境以及環境與生産的關係，此類研究具有明顯的現實意義和重要價值。想要通過大科學史研究，弄清變遷的原因和未來的發展趨勢，産出對于地方各方面的開發有更大、更直接價值的成果，這類研究大多離不開文獻。之後，李迪先生更是直接指出科技史研究不僅是對過去的科技工作和科技成果的回顧與總結，而且要着眼于現代，讓古人的發明創造爲今人服務，繼續在現代發揮其應有的作用。我將先生大科學史的治學理念視爲座右銘，在科研工作中更加注重讓科研成果服務于國家戰略與區域發展需求。

二〇一九年九月，習近平總書記在黄河流域生態保護和高質量發展座談會上指出，黄河流域在我國經濟社會發展和生態安全方面具有十分重要的地位。黄河流域生態保護和高質量發展是重大國家戰略。同年十月，黨的十九届四中全會提出『加强邊疆治理，推進興邊富民』，首次把邊疆治理寫入黨的文件。內蒙古師範大學組織科研力量，積極申報研究闡釋黨的十九屆四中全會精神的國家社科基金重大項目，其中『中國特色社會主義民族區域自治制度自信研究』項目獲批。我承擔其中的『鑄牢中華民族共同體意識下的民族自治地方文化自信研究』子課題，而黃河是首選文化要素。二〇二四年，該項目順利結項，我也對黃河文化所藴含的時代價值有了更深的體會。

有鑒于此，我帶領文化遺産智能應用服務中華民族共同體建設『英才興蒙』團隊，以黃河爲主題，開展了文獻、文物、傳統工藝等多模態資源庫建設和跨模態應用示範工作。這次與內蒙古人民出版社合作出版的《黃河國家治理文獻集成》，旨在梳理和總結文獻中所藴含的歷史經驗和文化信息，爲當代及未來的黃河治理和地方文旅産業發展提供參考與借鑒。

感謝內蒙古民族文化産業研究院、巴彦淖爾市圖書館等单位的傾力相助，感謝內蒙古自治區黨委宣傳部、內蒙古出版集團、內蒙古人民出版社對本項目的支持與幫助。

在此，也向致力于黃河治理和大河安瀾的歷代先賢與當代典範表達崇高的敬意：你們的不懈努力與無私奉獻，爲黃河的安寧與人民的福祉築起了堅實的防綫；你們的智慧與勇氣，將永遠銘刻在中華民族的歷史豐碑上，激勵後人不斷前行。

董杰

二〇二五年一月